リベラルアーツ

「遊び」を極めて賢者になる

浦久俊彦
Urahisa Toshihiko

インターナショナル新書 100

はじめに

未来をつくるということ

生きるに値する未来をどうつくるか？

これが、この本でぼくが語りたいことのすべてです。これから未来を生きる若い世代（この本では新世代と呼びます）の君たちに向けて、ぼくはこれを語りかけるようなつもりで書きます。これを書いているあいだに、ぼくは六〇歳を迎えましたが、ぼくたち旧世代に向かって未来を語っても仕方がない。未来はぼくたち旧世代のものではなく、君たち新世代のものだからです。でも、だからこそ君たちが生きるに値する未来について、新世代と旧世代が世代の枠を超えて、ともに考えていくことには大きな意味があると考えます。

それから、この本は、新世代だけではなく、旧世代のあなたにも読んでいただきたい。そして、この本に書かれていることに共感していただけるなら、過去から引き継いだ文化や遺産を旧世代から新世代にしっかりと伝えて、新世代のための未来をともにつくっていきたいのです。

君たちは、どのような未来を生きたいですか？

この本を手にしてくれた新世代の君たちひとりひとりに、まずぼくはこう質問してみたい。その答えにとても興味があります。ぼくがこの本で語ろうとしていることは、新世代の君たちに向けて「**ぼくはこう考えるけれど、君たちはどう思う？**」という真摯《しんし》な問いかけです。

ただ、ここに書かれていることは、ぼくというひとりの人間が、半世紀という歳月をかけて考え、実践してきたひとつの提案にすぎません。おそらく誤りも軽率な思い込みもあるはずです。その荒削りな部分は重々承知しながらも、いま、それをぼくは君たちに直接ぶつけてみたい。ここに書かれたことを吟味し、意見をたたかわせ、誤りを修正し、不足を補いながら、困難を克服し、みんなでよりよい未来をつくっていくための素材としては、いくらかでも価値のある提案だと信じているからです。

現代は、とても困難な時代です。この時代を「危機」とか「崩壊」とか、過激な言葉で語ることもできるでしょうが、おそらく、この本を手にしてくれた若者の多くは、世界の終焉と絶望するまではいかなくても、近代社会が理想とした合理化思考によって人類は進歩し、万人の幸福度が増すと信じたような、いわゆる「大きな物語」（byジャン＝フランソワ・リオタール）を描けなくなったいま、まるで方向を見失った小舟のように、未来のなかに自分の物語を紡ぐことに、ぼんやりとした不安を抱いているのではないでしょうか。この「ぼんやりした不安」というのは、いっけん大したことはないようにみえても、ひとりの文豪（例・芥川龍之介）を死に至らしめる動機になるほど、おそろしい言葉でもあります。

では、どのようにして生きるに値する未来を描けばいいのか？

結論を書きます。

人生をいかに遊びつづけるか。

これを新世代の君たちひとりひとりが人生のテーマにしてほしい。そして、これこそが、新世代の君たちが生きるに値する未来をつくることにつながると、ぼくは確信しています。

何をふざけたことを！　という声が聞こえてきそうですが、「遊ぶ」とはいっても、みんなでスマホゲームをやりながら一生遊んで暮らそう、といいたいわけではありません。ぼくがいいたいのは「人生を遊ぶ」ことであって「ゲームをして遊ぶ」ことではない。このふたつは、似ているようでまったく違います。

それに、遊びながら生きるといえば「楽をして生きる」ことのように聞こえますが、これも違う。「楽をして生きる」ことと「楽しんで生きる」こともまったく違います。

「人生を遊びつづける」ことは簡単なことではない。むしろ、とてつもなく難しい。お金があって、生活に困らない人はたくさんいますが、その人たちが人生を遊んでいるとは限らない。そもそも、人生を遊んで生きている人には、なかなかお目にかかれません。それは、ある意味でとても厳しい生き方を貫くことでもあるからです。

「遊び」を生きるということ

それでも「遊ぶ」という言葉にまだ違和感を覚えるという人は、たとえば「遊び」にかんする歴史的な名著であるホイジンガ『ホモ・ルーデンス』、カイヨワ『遊びと人間』あたりを読んでみてください。きっと「遊び」の認識が一変するはずです。

ぼくがいいたい「遊び」とは、いわゆるゲーム（もちろん大きな意味でのゲームも遊びですが）ではありません。前出の『ホモ・ルーデンス』冒頭にある「遊びは文化より古い」という一文のような、人間と文化の根源的な精神である「遊び」のことです。

それに、わざわざホイジンガやカイヨワといった西洋の知性をかりなくても、わが日本には、いくらでも「遊び」にかんする含蓄があります。

あらためて本文の第二部でもふれますが、たとえば日本には、仏教用語にある「遊戯三昧《ゆげざんまい》」の境地、つまり何事にもとらわれない自由自在な精神があります。それに、かつて「遊ぶ」とは、神霊があそぶ、神々があそぶという神聖な芸能のことでした。それは「あそばせ」「あそばす」という貴人が用いた最上の敬語として、いまも残っています。『梁塵秘抄《りょうじんひしょう》』の「遊びをせんとや生まれけむ」はあまりにも有名ですが、もともと日本人は、類いまれな遊ぶ民族でした。なかでも江戸っ子は、まさに遊ぶために生まれてきたといってもいいほど、その日暮らしの質素な生活のなかでも遊ぶことを忘れなかった。「宵越しの銭を持たねえ」という有名な江戸っ子のセリフも、ほんとうは宵越しの銭を持てないほど江戸庶民たちはとにかく金がなかった。現代からみると、ほんとうに貧しかったのです。

それでも、そこに息づいた独特の美学にぼくたちが惹かれるのは、遊ぶという人生を彩るほんとうの意味を現代人が忘れてしまったからではないでしょうか。江戸時代に生まれた数々の文化が西欧世界に「ジャポニズム」という大ブームを巻き起こし、江戸の売れっ子絵師、葛飾北斎《かつしかほくさい》の浮世絵は、いまや世界でもっとも有名な日本の絵画です。当時すでに世界有数の大都市だった江戸は、一九世紀後半には、太平の世を享受する「遊びの都市」となっていたのです。

「遊びつづける」ためのリベラルアーツ

では、**どうすれば、人生を遊びつづけることができるのか？　そのために身につけるべきこと。それが、リベラルアーツ**です。

リベラルアーツとは何か？　この問いは、これからこの本のなかで何度も繰り返されることになるでしょうが、ふつうリベラルアーツといえば「教養」とか、大学の「教育カリキュラム」のようなものをイメージされると思います。

しかし、ぼくがこの本で語りたいリベラルアーツは、そのようなものではありません。それは、ふつうであれば○○大学教授とか、教育の専門家などの肩書きを持つ人が書くようなリベラルアーツの本を、なぜ、ぼくのような肩書きもなくアカデミズムにも属さない人間が書くのか、という理由にもつながります。

アカデミズムに属さないどころか、ぼくは小学校低学年のときに、ある事件から学校での勉強をすべて放棄して、そこからはただ本だけを読んで育ったような人間です。世間的には完全なアカデミズムのはぐれものです。このぼくが、なぜこの本を書くことになったのかという背景を知っていただくために、そして、もしかすると挫折や落ちこぼれに悩む若者の慰み（?）になるかもしれないという想いで、このあとぼくの生い立ちにもふれますが、ともかく、ぼくには人に誇れるような学歴もなく、自分を守ってくれる肩書きもありません。組織に属したこともないひとりの「自由人」です。自由人などといえば、何かカッコいいように聞こえるかもしれませんが、見方を変えれば、ただの「遊び人」です。

こんなぼくが、なぜリベラルアーツの本を書くのか？　理由は、これまでぼくが生きてきた羅針盤となってくれたのが、まさにリベラルアーツだったからです。それは大学などで学ぶ「教養としてのリベラルアーツ」ではなく、生きるために本と遊び、数知れない挫折と永遠に先のみえないトンネルのような人生のなかでようやくみえてきた、一筋の光ともいうべきものでした。それが、ぼくにとってのリベラルアーツです。

「武器」から「遊び」へ　万華鏡としてのリベラルアーツ

一九歳からの約二〇年間を、ぼくはおもにフランスのパリで暮らしました。言葉も通じない、ひとりの知り合いもいない異国の地でどう生きていくか。そのとき、いつのまにかぼくを支えてくれたのが、リベラルアーツでした。たとえていえば、それは過酷な社会の現実にひとりで立ち向かうための「武器」のようなものでした。

社会とは、まるで荒涼たる砂漠そのもの。その砂漠に立ち、そこから自分の正しい方向を信じて歩き出さねばならない。みわたすかぎりの砂の世界は、まるで未来を見通せない現実の社会。そこから生き抜くためには、まず一歩を踏み出さねばならない。過酷な砂漠のなかで立ち止まることは死を意味するからです。水もなければ食料もない。では、どの方向に歩きはじめるか？　正しい方向に進めば、三日後にはオアシスに辿り着けるかもしれない。だが、進む角度を少しでも間違えれば、砂嵐に遭遇するか、永遠に砂のなかをさまよい、死を待つしかない。このような状況のなかで、一歩を踏み出せるための勇気を与えてくれるもの。それが、リベラルアーツ。いわば「武器としてのリベラルアーツ」です。

そして、そのような異国での歳月を経たいま、ぼくにとってのリベラルアーツはもはや武器ではありません。もし、いまだにぼくがリベラルアーツを社会で生き抜くための武器のように考えているとしたら、きっとこの本を書くことはなかったでしょう。

なぜなら「武器としてのリベラルアーツ」だけでは、これから新世代の君たちが描くべき未来をつくることはできないと考えるからです。というのも、最近になって、ぼくはこの人生をどう生きたかったのか、という自身の生涯のテーマにようやく気づきました。

それは**「人生をいかに遊びつづけるか」**ということ。それに気づかせてくれたのも、やはりリベラルアーツでした。そしてそこから、ぼくは幼少期からのどうしようもない自己嫌悪と劣等感に塗《まみ》れた自分の人生を、ようやく肯定できるようになったのです。

リベラルアーツはまるで万華鏡です。それは教養にも武器にもなります。けれども、**リベラルアーツを、よりよい未来のために活かすキーワードは「遊び」にある。これが、この本のなかでぼくが主張したいことです。**

分断化した世界と、それをつなぐリベラルアーツ

グローバル化といわれながら、皮肉なことに、いま、世界はあらゆる領域で急激な分断化が進んでいます。国境と難民。差別とナショナリズム。貧困層と富裕層。AI（人工知能）と人間の知能。学術領域の分断化。そして何よりも象徴的なのは、二〇二〇年から、

まさに世界をズタズタに切り裂いた新型コロナウイルスです。

この分断された世界は、さまざまな領域を超えてつなぐリベラルアーツの「知」を必要としています。それも、あらゆるものを切り刻む「武器」としてのリベラルアーツではなく、あらゆる領域を、まるで蝶のようにひらりと軽快に飛び回り、それをつなぐ「遊び」としてのリベラルアーツです。

そして「遊ぶ」ことの究極は、ただ無心に生命を崇高なものに捧げ、燃焼させることでもあります。いわば、それは「宇宙の真理と遊ぶ」ことであって、個人的な願望や欲望を満たすためではありません。

個人的な願望のひとつの例として「幸福への願望」をあげてみます。現代では自分の幸福を願うことはごくあたりまえですが、かつて幸せを願うとは他人や周囲の幸せを願うことで、必ずしも自分の幸せを願うことではありませんでした。自分の幸福という願望は、たんなる我欲であって、エゴイズムにすぎない。「幸福への願望」は「金銭への欲望」「地位の執着」と同じで際限がない。まさに底なしの地獄です。だから、自分の幸福のみを追求するような生き方は「生きることを遊ぶ」ことにはつながらない。むしろ自分を苦しめてしまうだけです。他人や周囲の幸福を願い、しかも自分も楽しむことが「遊び」の精神につながる。リベラルアーツの精神につながる生き方とは、たとえばこのようなことです。だからこそ、貴重で価値がある。

新世代の君たちが生きるに値する未来とは、ひとりひとりが、生きることを心から楽しみ、家族を慈しみ、周囲を思いやり、助けあい、地に根を下ろし、仕事と遊びの境目をなくしていけるような社会。つまり、誰もが遊びつづけていける未来。それこそが、生きるに値する未来ではないか。新世代の君たちには、このような社会をつくってほしい。そのために身につけること、それがリベラルアーツです。そしてこれが、この本のなかでぼくがもっとも語りたいことでもあります。

ぼくはアカデミズムのはぐれものだった

ここで少し自分のことを語ります。ただ、この本がどんな人間によって書かれたかには興味がないという読者もおられるでしょう。その方は読み飛ばして次項に進んでください。

ぼくは、アカデミズムのはぐれものでした。

ある事件がきっかけで小学生のときから学校での勉強はまったくせずに、授業中に隠れて本ばかり読んでいるような子どもでした。その事件とは、とても小さな、いま思えば子どもじみたことですが、このささやかな事件がぼくの人生を変えたことも事実です。

たしか小学一、二年生のとき、ぼくは「一＋一がなぜ二になるのか？」がわからずに、学校の先生に質問したことがありました。りんごが一＋一で二個になるのはわかる。でも、窓ガラスを流れる水滴はどうか？　小さな水滴と小さな水滴が合わされれば大きな水滴になる。一＋一が二ではなく大きな一になることもあるのでは？　そのような質問でした。誰でもそうだと思いますが、子どもというのは、そんな何でもないことが不思議でならないものです。

ところが、そのとき先生から「そんな屁理屈ばかりでは、ろくな大人になれない！」とひどく怒鳴られたのです。あまりのショックにふさぎ込むどころか、あろうことか日本の学校教育はダメだ！　と憤慨したぼくは、猛然と学校の勉強をボイコットしてしまったのです。それからは毎日学校に本を一冊持っていき、教科書の後ろとか机の下に本を隠して授業中はいつもそれを読んでいる。教科書を読んだことはただの一度もありません。

とうぜんですがそんな子どもが授業についていけるはずもなく、落第こそしなかったものの、世間的には立派な「落ちこぼれ」です。もちろん受験戦争にも参戦していません。母親などは「おまえは本が好きなのに、どうして学校の勉強ができないのか」と嘆くばかり。

でも、すでに本の壮大な世界を旅する魅力を知ってしまったぼくには、まるで別世界のことのようで少しも気にならず、そんなことよりも一日も早く日本を飛び出して、憧れていたヨーロッパや世界中を旅して歩きたい！　と夢みていたのです。

そして、高校を卒業した一九歳のとき、周囲の猛反対を押し切ってフランスに渡りました。ところが、そこからがまるで砂漠をさまようような人生のほんとうのはじまりでした。フランス生活の大半は挫折と失敗の連続でしたが、何ひとつ自分の思い通りにはならない日々を、ただもがき、苦しみ、食べるためにさまざまな仕事もしました。けれどもそのすべてが、ヨーロッパの風土と文化と芸術がぼくに与えてくれた試練だったのだと、いまは思います。かけがえのない歳月でした。

そして、四四歳のときに帰国し、いまは本を書いたり、さまざまなアーティストの企画を考えたり、劇場運営にかかわったり、若き文化人を育成する私塾をつくったり、海外の音楽祭と日本の地域文化との交流など、よりよい社会のために、文化、芸術に何ができるのかを考えながら仕事をしています。

では、そのなかでどれがあなたの職業かといわれれば、正直いってよくわかりません。

よく職業を選ぶといいますが、ぼくはその逆の人生を選んでしまった。つまり、職業を選ばなかった。いや、選べなかった。そんな人生を生きてしまった。でも、そのために仕事と遊びの区別がなくなった。ようするに遊びが仕事であり、仕事が遊びであるような人生になったということです。

このように書くと、ずいぶん優雅にみえるかもしれませんが、けっして親が裕福で資産があったわけでもなく、むしろ借金まみれの半生でした。それに、職業を選ばない人生を生きるというのは、一歩間違えればただの無職です。いまのぼくであれば「無職」は「無色」、何色にも染まらない人生は粋でしょ？　などシャレのひとつでもいいたくなるところですが、何十年という長い時間を、ろくに仕事もない、まるで泥船のなかに沈んだような状態で、自分はいったい何のために生きているのか？　この人生はいったい何だったのか？　と暗闇のなかでずっと自問自答する日々でした。

そして、人生そのものを遊びつづけることが、この生涯に与えられたぼくのテーマだったと悟ったとき、ようやく自分の情けない人生を肯定することができたのです。

挫折だらけの人生を許せずに自己嫌悪と劣等感に苛《さいな》まれた数十年でしたが、その回り道やでこぼこのくねくねした歳月が、あるとき振り返ると一本の道として真っ直ぐにつながっていたこと。それをわからせてくれたのも、やはり、リベラルアーツでした。

リベラルアーツを日本語に訳すとどうなるか？

では、あらためてリベラルアーツとは何か？

ここからは本文の内容（第一部）とも重なりますが、これまで日本語に訳されることなく「リベラルアーツ」という英語のまま浸透したこの言葉を、日本語に訳してみるとどうなるのか？　を考えてみたいと思います。

リベラルアーツの「リベラル」は、ふつう「自由」と訳されますが、西洋語の「自由」に相当する英語は「freedom」と「liberty」のふたつがあります。別の意味をもつこのふたつの言葉を、単純に「自由」というひとつの訳語で表現できるのかは疑問です。それに、日本語本来の「自由」という言葉にしても、「われわれ日本人の中でも、とくに若い人々の中では、『自由』の本来の東洋的意義を知っているものは、一人もない」と仏教学者の鈴木大拙《だいせつ》がいい切るほど難解な言葉です。

では「リベラル」にふさわしい日本語とは何か？　じつは、リベラルの精神にぴったりする一語があります。それが「遊」です。ほんとうは「遊び」でもいいのですが、「自由」

と「遊」は発音も雰囲気も似ていて、まさに自在にあらゆる領域を飛び越えていくようなイメージを感じさせます。

次に「アーツ」ですが、これも単純に「アート＝芸術」と訳してしまうと、その真意を見誤ってしまいます。英語の「アーツ」のほんらいの意味は、キリスト教的な宗教観における神の創造物である自然や人間に対して、人間が自らの手でつくりだしたものの総称です。それは日本古来の自然観とは異なる文化の型によって生みだされた概念ですが、それをあらわすにふさわしい日本の言葉があります。それが、江戸時代までふつうに用いられていた「わざ」という一語です。

この「**遊**」と「**わざ**」というふたつの言葉をつなげると「**遊ぶためのわざ**」。つまり、**リベラルアーツを日本語にすると「人生を遊びつづけるためのわざ」になる**のです。

このように定義することは、リベラルアーツを「教養」や「教育カリキュラム」のような「学問」ととらえる考え方からは、とうてい受け入れられないでしょう。何をバカな！といわれるかもしれません。

けれども、ぼくはリベラルアーツを、あえて学問という領域から解放させたいのです。「学問」と「遊び」という相反するかのようにとらえられているふたつの領域を飛び越えることができるリベラルアーツの「遊の精神」に、いまの硬直した学問を解きほぐす「遊びとしての知性」を解き放つエネルギーを感じているのです。それは、未来の学問の「かたち」にもつながるのではないか。それが、新世代が生きるに値する未来を描くための「羅針盤」ともなるのではないか。これについても考えてみたいのです。

この本の構成について

この本は「**リベラルアーツを知る**」「**リベラルアーツを遊ぶ**」「**リベラルアーツを活かす**」の三部で構成されています。

リベラルアーツとは何かを「知り」、ひとりひとりが人生を「遊び」、それをよりよい社会づくりに「活かす」ことが、新世代の君たちが生きるに値する未来をつくることにつながる。この本ではそれを主張しています。

誤解してほしくないのは、**この本はリベラルアーツの「教科書」ではない**ということ。それよりも「**リベラルアーツには教科書などない」ことを伝えようとしている**のです。

ぼくは新世代の君たちを高い教壇から見下ろして、何かを「教える」ためにこの本を書いたのではありません。「生きるに値する未来」をつくるためには、みんなで考え、みんなで行動しなければならない。そのための「ヒント」「きっかけ」をちりばめたつもりです。

「第一部　リベラルアーツを知る」では、「リベラルアーツとは何か？」を、さまざまな側面から考えます。現代の創造的な人物の象徴でもあるスティーブ・ジョブズの言葉をプロローグに、西洋のリベラルアーツの源流である古代ギリシャの「四科（クワドリウィウム）」と、東洋のリベラルアーツである古代中国の「六芸《りくげい》」を中心に、西洋と東洋を超えた古代人たちの叡智が、リベラルアーツの精神となっていく背景を探ります。「リベラル」と「アート」というふたつの語を解剖し、明治時代に日本に入ってきた「リベラルアーツ」という言葉の意外な来歴も登場します。いわばリベラルアーツとは何か？　を考えるための基礎・歴史編です。

「第二部　リベラルアーツを遊ぶ」は、ドラゴンクエストの「遊び人」からはじまり、一《いっ》遍上人《ぺんしょうにん》の壮絶な生涯を辿り、遊びの達人でもあった江戸の人々に「遊びながら生きる極意」を学びながら、「遊ぶ」ことがなぜ生きるに値する未来をつくることにつながるのか？　を考えます。それとともに、これからの仕事とは何か？　自由自在に仕事をし、生きていくために、リベラルアーツをどのようにして体得すればいいのか？　についても考えます。

「第三部　リベラルアーツを活かす」は、新世代が生きるに値する未来を描くために、具体的に何をすればいいのか？　を、いまのぼくの活動に照らしあわせながら考えてみたいと思います。それとともに、これまで社会が依存してきた三つの価値観「文明」「教養」「大衆」をあらためて問い直すことで、どのような未来がみえてくるのか？　についても考えてみたいと思います。そして、第三部の最後から五行目に書いたことばが、この本を最後まで読んでくれた新世代の君たちに、ぼくがもっとも伝えたいメッセージです。

なお、本文には、多くのすぐれた論者の発言や著作からの引用が多数登場しますが、その業績に敬意を表しつつも、登場する人名の敬称はすべて省略させていただいたことをお断りしておきます。

いよいよ、ここからが本文です。

新世代の君たちと、ぼくたち旧世代が、これから生きるに値する未来をどうつくるか？この本は、それをともに考えていくためのささやかな試みです。

目次

第二部　リベラルアーツを遊ぶ

第三部　リベラルアーツを活かす

第一部　リベラルアーツを知る

序章　リベラルアーツは「無用の用」である

スティーブ・ジョブズとリベラルアーツ

リベラルアーツとは何でしょうか？　堅苦しい定義の話はあとまわしにして、まずは、左ページの写真をご覧ください。ここに立っている人物は、アップル社の創業者である故スティーブ・ジョブズ。そして、彼が語っているのが、この言葉です。

テクノロジーとリベラルアーツの交差点に立つ。

これは、彼が死の前年にサンフランシスコで行った新製品（iPad）のプレゼンテーションで語った言葉です。このなかで彼は、新製品を開発できた理由を「**われわれはつねにテクノロジーとリベラルアーツの交差する場所にいるように努めているからだ**」と語ってい

スティーブ・ジョブズ。2011年3月、サンフランシスコにて。

ます。注目したいのは、これが、現代のもっとも創造的な企業のひとつであるアップル社の理念のひとつであり、現代のもっとも独創的な人物と評されたスティーブ・ジョブズが、みずからの信念のように、この表現を使っていたことです。

テクノロジーとリベラルアーツの交差点に立つとは、どういうことか？　これを、いまの日本が置かれている状況におきかえてみます。

第二次世界大戦後の高度成長期を経て世界第二位の経済大国

にまでなった日本は、一九九〇年代から急速に失速して「失われた三〇年」といわれた泥沼の低迷期を抜け出せないどころか、いまだにその糸口すら見つけられないままでいます。このままいけば、二〇五〇年には日本は先進国ですらなくなるという予測を日本経済団体連合会のシンクタンク「21世紀政策研究所」が発表したのは二〇一二年四月ですが、それから一〇年を経たいま、事態は改善したどころか、ますます悪化しています。

それに加えて、二〇二〇年からの新型コロナウイルスによる混乱と迷走は、その時期を劇的に早め、もしかするとあと一〇年後には、日本は発展途上国ならぬ、後退先進国のトップをのろのろと走っているかもしれません。

経済成長期に日本が世界に台頭できたのは「ものづくり」に秀でていたから。つまり、テクノロジーの分野です。ただ、テクノロジー大国を誇った日本は、テクノロジーのみに邁進して、リベラルアーツの精神を顧みなかった。そして、ついにテクノロジーとリベラルアーツの交差点に立つことはなかった。それが日本凋落《ちょうらく》の最大の原因ではないか？　これが、冒頭のスティーブ・ジョブズの言葉から読み解ける教訓です。

韓国が日本から学んだ「クリエイティビティ」の欠如

なぜ、日本は凋落したのか？

ここでいう「凋落」とは、何も経済力の低迷だけを指しているのではありません。高度成長期の日本には、活力もあれば文化発信力もあった。それがいまや、何もかもがすっかり影を潜め、自信を失い、まるで坂道をただ転げ落ちているようにもみえます。

なぜ、このようなことになってしまったのか？

それをいま、テクノロジーだけを追い求めて、リベラルアーツの精神を顧みなかったからと書きましたが、さらに具体的に、『街場の日韓論』（内田樹編、晶文社）という本の中で劇作家の平田オリザが、その原因は「創造力の欠如」であるという鋭い分析結果を紹介しています。

それを指摘したのは、日本政府でも日本の学会でもシンクタンクでもなく、お隣の韓国です。韓国は、二一世紀初頭に、低迷する日本経済と日本社会を徹底的に研究、分析してその原因を探りました。それは韓国が日本のようにならないためであり、「一説によると、2000年代の十年だけで、日本経済や日本社会の停滞に関するレポートが、様々なシンクタンクから2千本も書かれたと聞いたことがある」（前掲書）というのです。

日本経済はとにかく西洋に追いつけ追い越せで、人まねもうまく勤勉で器用だったために西洋に追いつくところまでは行った。だが追いついた次の段階として、まだ誰もみていないその先の風景を描けなかった。そして完全に自分を見失い、失速した。なぜか？「そのレポートに書かれている結論の一つが『クリエイティビティの欠如』だった」（同書）と平田は言います。

韓国社会がそこから「クリエイティブ教育」「クリエイティブ産業」など、猛烈な「クリエイティブ政策」を推進させ、文化体育観光部という文化を担う行政機関に、GNP比で日本の一〇倍ともいわれる莫大な予算を投入し、ついにはフランスの予算も抜いて世界一の文化大国にまでなろうとしたのは、すべて「クリエイティビティ」こそが国家運営にとって、どれほど大きな推進力であるかを日本の凋落を横目でみながら学んでいたというのです。

その成果は、日本のお家芸でもあった家電分野での韓国企業の台頭だけでなく、いわゆる韓流ブームによって、エンターテインメントの分野にも顕著にあらわれました。日本のエンターテインメント界が望んでも果たせなかった、アメリカビルボード・ヒットチャートの第一位を韓国アーティストが占めたり、日本映画界の悲願だったアメリカアカデミー賞作品賞に韓国映画が選ばれるなど、おそらくかつての日本人には想像すらできなかったことです。一方では、異常なまでに過熱したその政策の陰で、芸能人の自殺者が多発するなどの社会的な歪みも生じていますが、ともかく、キーワードは「クリエイティビティ」にあったのです。

ふたつの「ソウゾウリョク」

ここでふたたび、冒頭のスティーブ・ジョブズの「テクノロジーとリベラルアーツの交差点に立つ」という言葉を思い起こしてみます。

高度成長期の日本は、たしかにテクノロジーでは世界をリードできたものの、テクノロジーだけを信奉してリベラルアーツの精神が欠落していた。そのアンバランスさこそが「失われた三〇年」の正体です。その原因を、韓国は「クリエイティビティ（＝創造力）の欠如」と分析したわけです。

その分析はたしかに的を射ています。でもぼくはそれだけではないと思っています。「創造力」だけではない。日本語にはもうひとつの「ソウゾウリョク」もある。そのふたつともが欠けていたのではないかと思うのです。

もうひとつの「ソウゾウリョク」とは何か？

「想像力」です。

「創造力」と「想像力」というふたつの「ソウゾウリョク」。そして、未来へのグランドデザインを描くために何よりも必要なエンジンは、このふたつの「ソウゾウリョク」ではないのか？　ぼくはそう考えています。

ここまで「創造力」も「想像力」も、まったく同じ発音の語として、あえて「ソウゾウリョク」とカタカナで記しましたが、それにしても日本語がすばらしい言語だと感心するのは、英語では「クリエイティビティ」と「イマジネーション」という人間のあらゆる創造活動の核をなすふたつの言葉が、日本語では、奇しくも同じ発音をもつ言葉だということです。それを外国人に話すと、たいていは驚愕《きょうがく》して称賛されます。

彼らには、クリエイティブとイマジネーションを同じ言葉で表現できる言語というものを想像することすらできない。そして「日本語はなんとファンタスティックな言語なんだ！」と感嘆するというわけです。そして、このふたつの「ソウゾウリョク」こそ、リベラルアーツによってもたらされる最大の果実なのです。

イノベーションは「遊び」から生まれる

ふたつの「ソウゾウリョク」が躍動すれば、それが「イノベーション（＝新機軸、新結合。新たなアイデアによって社会的意義のある価値を創造すること）」につながる。

現代は、イノベーションの時代といわれます。いま、世界を変えている数々のイノベーションや斬新なアイデアは、管理された組織や、日本的大企業の典型である硬直した統制型マネージメントからは、けっして生まれないということは、もはや明らかです。

かつて世界を席巻した「メイド・イン・ジャパン」が次々と生み出されていた時代、日本はもっと「遊ぶ国」であり「楽しむ国」でした。それがいつのまにか、日本はただの窮屈な国になり、つまらない国になったという声が聞こえるようになると、日本からふたつの「ソウゾウリョク」がどこかに消えてしまったのです。

この章の冒頭に登場したスティーブ・ジョブズもそのひとりですが、偉大なイノベーターは例外なく「ホモ・ルーデンス（遊ぶ人）」です。「無駄なことをできる人」であり、「人生を遊ぶ人」であるともいえます。

元日本マイクロソフト社長の成毛《なる》眞《けまこと》はこう書いています。

遊びや趣味というのは、意外に仕事の成果につながっていたりする。日本人は真面目に働きすぎて、遊ばないからイノベーションを起こせないと、私は事あるごとにいっているが、実際そうなのだ。(『アフターコロナの生存戦略』成毛眞著、KADOKAWA)

あまりにも合理主義、効率主義に偏った社会は、無駄なもの、余計なものを極力排除しようとします。ところで「無駄なもの」とは何でしょうか? たとえば、ぼくはいま本の森のなかで暮らしていますが、一万冊以上の本のなかに埋もれて片隅で埃をかぶって記憶にもない一冊の「無駄に思えた本」が、あるとき、なぜかすっと視界に入り、偶然開いたページが人生のピンチを救ってくれたことが何度もあります。そのような不思議を経験してみると、人間の浅知恵だけで「無駄」を選別しようとしたことが、何とも浅はかで傲慢にすら思えてくるのです。

古代中国の賢者・老子に、「無用の用」を説いた有名な言葉があります。

(故に)有の以て利を為すは、無の以て用を為せばなり。

目先の利益で有用・無用を決めつけてはならない。いまは無用にみえても、のちに必要になることもある。何の役に立っていないようにみえても、どこかで大事な役に立っていることもある、という意味です。

リベラルアーツは、いわば無用の用です。履歴書に書けるような資格でもなければ、出世に役立つとか、そのような意味での有用性はありません。けれども、そのいっけん無用に思えることが、もしかすると人類の未来を救うことになるかもしれない。それほどまでに謎めいていて奥深く、汲めども尽きぬ魅力を秘めているのです。

西洋中心主義への警鐘　洋の東西を超えて

「リベラルアーツ」という英語が浸透したために、日本では、リベラルアーツを西洋由来のものと考えがちですが、そうではなく、リベラルアーツの精神は、いわば西洋思想と東洋思想の領域を超えたところにあります。

それを理解するために、現代の日本人がつい陥りがちな西洋中心の視点にならないように気をつけておく必要があります。というのも、第一章のテーマである西洋のリベラルアーツの源流である古代ギリシャの「四科」にしても、そもそも古代ギリシャ・ローマ人を近代西洋人と結びつけることが誤りだという指摘もあるからです。
フランスの歴史家クーランジュは、著書『古代都市』でこう書いています。

われわれはほとんどつねに彼らギリシア・ローマ人のうちにわれわれ自身の姿をみとめる。しかし、ここからおおくのあやまりが生ずるのであって（略）これら古代民族についての真相を知るためのもっとも賢明な方法は、彼らがなんの因縁もない外国人であると考えて、われわれとの関係をまったく無視し、古代のインドやアラビアを研究すると同様の公平な態度と自由な精神とをもって研究することにある。

（『古代都市』フュステル・ド・クーランジュ著、田辺貞之助訳、白水社）

人類最初の諸文明が、アフリカ大陸でのエジプト文明を除けば、インド、中国などすべてアジアで起こったことはあらためていうまでもありませんが、一八世紀末のアジアの世界GNPに占める割合が八〇パーセントを超えるというデータ（ポール・ベアロックによる世界GDP試算による。『リオリエント』アンドレ・グンダー・フランク著、藤原書店より）が示すように、一九世紀に入るまでの世界経済と世界システムの中心地は、あきらかにアジアでした。

帝国主義による世界の植民地化がはじまるまでは、ヨーロッパは文化的にも経済的にも世界の辺境にすぎなかったにもかかわらず、まるでずっと世界の文化・経済の中心地であったかのように錯覚してしまうのは、西洋中心主義が陥りやすい罠のようなものです。

ぼくたちが「世界史」という言葉を使うとき、知らず知らずのうちに西洋史中心に偏ってしまうのは「〈世界史〉とは『世界の歴史』ではない。〈世界〉として歴史を語り始めることを可能にした一つの文明の運動、グローバルな現実を作り出したヨーロッパ近代のプロジェクトの名である」（『世界史の臨界』西谷修著、岩波書店）からです。つまり**「世界史」という概念そのものが、すでに西洋中心主義の産物**なのです。

アジアには、ある意味ではヨーロッパよりも古いリベラルアーツの体系があります。古代インドの学問分類法である「五明《ごみょう》」（「声明《しょうみょう》」「因明《いんみょう》」「内明《ないみょう》」「工巧明《くぎょうみょう》」「医方明《いほうみょう》」。仏教を通じて日本にも影響を与えた）や、第二章のテーマである古代中国の「六芸《りくげい》」などが、それにあたります。西洋や東洋のリベラルアーツという分類に偏ることなく、洋の東西を超えた古代人たちの精神の輝きが、現代に生きるぼくたちにかけがえのない「知」をもたらしてくれる。これを知ることが、リベラルアーツの精神に近づくためのはじめの一歩だと、ぼくは考えています。

音楽が、リベラルアーツにつながる？

もうひとつ。リベラルアーツへの旅をはじめるまえに、リベラルアーツと音楽について書いておきたいと思います。なぜなら、リベラルアーツとは何か？　という問いのなかで、音楽はまさに最重要キーワードのひとつとなるからです。

じつは、ぼくは音楽と書物から、リベラルアーツの世界に入りました。**いまでも、音楽と書物をかけあわせれば、リベラルアーツになると思っている**くらいです。

若い頃、ぼくは音楽家を志していました。ふつう音楽家といえば、楽器を習うとか、作曲をするとか、友人とバンドを組むとか、そのようなきっかけではじまると思うのですが、ぼくの場合はちょっと変わっていて「音楽とは何か？」という問いが、あるときからずっと頭のなかにぐるぐると渦巻いていて、そこから抜け出せなくなってしまったのです。

音楽とは何か？　を問いつづけながら、どうやって生きていくのか？

ふつうであれば、そのような人は大学に入って研究者になる道を選ぼうとするでしょう。でも、そのときすでに「アカデミズムのはぐれもの」だったぼくは、どうしても組織に属したくなかった。また、たとえそうしたくてもできなかった。自ら扉を閉ざしてしまったのですから。

そんなあるとき、フランスで、ひとりの高名な哲学者に出会いました。そしておずおずと「音楽とは何かという問いと生きていくにはどうすればいいのか？」と訊いてみたのです。いきなりやってきた日本の青年の突飛な質問があまりにおかしかったのか、彼は笑いながら「美学とリベラルアーツをやればいい」と語ってくれたのです。

はじめは「？？」という感じで、意味も何もわからなかったのですが、それから「リベラルアーツ」にかんする書物を読み耽るようになり、古代ギリシャの「四科」や、古代中国の「六芸」などをひもといていくと、なぜかどちらも「音楽（＝楽）」がきわめて重要な地位を占めていることに、何度もはっとさせられました。

そのうちに、もしかすると古代人にとって、音楽というのは、ぼくたちが考えているようなものとはまるで違う、はるかに壮大なものなのではないか、宇宙の調和とか、神と人とか、霊性と呪術とか、自然と健康とか、世界を音によって読み解くという企てに直接つながるような、とてつもないものではないのか？　と考えるようになったのです。

音楽とは何か？　それを考えることはリベラルアーツにつながる。

どうか、この一言を胸に留めおきながら、次章からを読み進めてみてください。

第一章　リベラルアーツの源流①
——古代ギリシャの「四科」

この章では、西洋のリベラルアーツの源流となった古代ギリシャの「四科（クワドリウィウム）」について考えていきます。そのまえに、まず西洋のリベラルアーツが日本でどのように説明されているかをみてみましょう。

リベラルアーツの源流　宇宙とは何か？　という問い

「リベラルアーツ（liberal arts）」は、ローマ時代の「アルテス・リベラレス（artes liberales）」に由来し、その起源を古代ギリシャの「四科（quadrivium）」（「数論」「音楽」「幾何学」「天文学」）という自由人が学ぶ必要があるとされた基礎科目に遡る。それに文系の「三科（trivium）」（「文法」「修辞学」「論理学」）が付加されて「自由七科」となった。

これは、一般的なリベラルアーツの定義を、ぼくがまとめてみたものです。

これだけをみれば、大学で教えられる教養科目のようなものと理解されても不思議はありません。じっさいに、中世ヨーロッパの大学で教えられていた「自由七科」が、現代まで継承されてリベラルアーツと称されていることと、とくに日本では「リベラルアーツ教育」という言葉が浸透したこともあり、リベラルアーツは「教養」や「教育」と深く結びつけられてきました。

けれども、西洋のリベラルアーツの起源である古代ギリシャに遡ると、リベラルアーツの概念が誕生した背景には、あるひとつの根源的な問いがあることがわかります。

それは、ぼくたちを取り巻く**「この世界とは何か？」**という問いです。


宇宙とは何か？

世界とは何か？


このような問いは、いまでは哲学の領域と考えられています。けれども、そもそも哲学とは「知ること」の探究であり「世界をとらえる視点」でもあります。その視点によってつかまれたものが「コンセプト」です。

日本語で「コンセプト」は「概念」と訳され、その瞬間に難解な哲学用語になってしま

います が、コンセプトとは、もともと何かを「つかむこと」を意味する言葉です。

彼らは、世界とは何かをつかみたかった。それが生きることに直結したからです。世界を「知りたい」「つかみたい」という知への渇望が、リベラルアーツの根源にあります。いいかえれば、リベラルアーツの根源にある精神とは、**世界を読み解くための「方法」であり、世界を読み解くための「言語」でもある、**ともいえます。

そして、それを習得することが、リベラルアーツを身につけるということなのです。

古代ギリシャと「哲学」の誕生

太陽がのぼり、朝が来て、陽が沈み、夜が来る。春が来て、夏が過ぎ、秋になり、冬が来る。混沌としているようにみえる世界には、このような周期があります。

天体の運動が統一的な全体として秩序や調和に貫かれているのはなぜか?

古代から人々は、自分たちを取り巻く世界を観察し、それを活かすことで文化や文明を生みだしてきました。そして、古代ギリシャ人たちが、世界とそこに起こるさまざまな現象を「神話的な思考」から「理性的な思考」へと発展させたこと、すなわち「**ミュトス**（**神話・物語**）」**から**「**ロゴス**（**言語・論理**）」**への飛躍が、古代ギリシャに**「**哲学**（**知を愛す**

ること）」が誕生するきっかけになります。
「ミュトスからロゴスへ」の流れをわかりやすくいえば、こうなります。哲学が誕生するまえの古代では、すべての自然現象は神の仕業に結びつけられた。嵐や雷は神の怒りであり、地面が揺れるのはポセイドンが大股で歩き回るからと信じられていた。それを古代ギリシャ最古の哲学者とされるタレスは、水という自然の物質から説明しようとした。「万物の根源（アルケー）は水である」と唱えたのです。

　現代の眼からみれば、万物が水からできているなどと、いかにも原始的に映るかもしれませんが、少なくともここには神話の登場人物であるゼウスもポセイドンも登場しません。あくまで自然界の物質で宇宙を読み解こうとしている意味では科学的ともいえます。

　そのタレスと同じイオニア地方の出身であり、古代ギリシャを代表する哲学者のひとりとされるピュタゴラスは、宇宙のあらゆる現象や森羅万象の背後に潜む調和の妙を「数」によって読み解こうとしました。そして辿り着いたのが「**万物は数なり**」という壮大な構想だったのです。

　のちに「マセマティックス（数学）」の語源ともなったギリシャ語の「マテーマ」は、もともと「学ぶ」という意味の「マンタノー」から来ています。つまり、古代ギリシャ人たちが「数」という言語で世界を読み解こうとしたことが、古代ギリシャの「四科」すなわち「数論」「音楽」「幾何学」「天文学」が誕生するきっかけとなったといえるのです。

ユークリッド『原論』の注釈者として知られる哲学者プロクロスによれば、ピュタゴラス派では「マテーマ」を、まず「数」と「量」のふたつに分け、それが「静止しているか」「運動しているか」でさらにふたつに分け、「数の学」「調和の学」「形の学」「星の学」という計四つに分類しました。

すなわち

静止している数が「数論」（「数の学」）

運動している数が「音楽」（「調和の学」）

静止している量が「幾何学」（「形の学」）

運動している量が「天文学」（「星の学」）

という「四つの学」です。

こうして「数論」「音楽」「幾何学」「天文学」という西洋リベラルアーツの基礎となる「四科」が成立するのです。

なぜ、リベラルアーツに「音楽」があるのか？

ここで気になるのは「数」や「学」と密接につながる「数論」や「幾何学」はともかく、いっけん「数」とは何の関係もないようにみえる「音楽」が、なぜ「四科」に含まれるのか？　ということです。それを不思議に思ってリベラルアーツの根源を遡ると、音楽はリベラルアーツのなかでも、まさにキーワードともいえる重要な役割を与えられていることがわかってきます。

なぜ、リベラルアーツのなかに「音楽」があるのか？

それを知るために、一般的なリベラルアーツにかんする本を読んでも、なぜかその問いに答えてくれません。せいぜい「教養や知性を磨くためには音楽を鑑賞し、感受性を養うことが大切だ」くらいの説明ですが、これでは何のことかはっきりしません。

ここに教養としてのリベラルアーツの限界があります。つまり、大学の教養科目としてのリベラルアーツ、または教育からのアプローチだけでは、なぜリベラルアーツの源流に「音楽」があるのか、という疑問に答えられないのです。

リベラルアーツの基礎に、なぜ「音楽」があるのかを考えるとき注意しておきたいのは、ここで語られている「音楽」とは、いま、ぼくたちが常識的に理解している音楽と同じではないということです。つまり、クラシックとかジャズとかポップスなどのジャンルとしての音楽ではなく、耳で聴くことができる音楽ともかぎらない。それはいわば、世界を読み解くための**「言語としての音楽」**のことです。

音楽は、眼にみえない強力な言語です。たとえば「音楽はパワフルな言語である」といえば、日本ではおそらく怪訝《けげん》な顔をされます。音楽は音、言語は言葉であり「音と言葉は別物」という固定観念に縛られて「音楽」と「言語」がなかなか結びつかないからです。

ところが、もし英語で「Music is powerful language.」といえば、ほとんどの欧米人は何の抵抗もなく納得するはずです。欧米で音楽は言語の一形態と考えられているからです。「音楽」というたったひとつの言葉でも、日本と欧米ではこれだけの認識の違いがあります。音楽をたんなる趣味や娯楽ととらえるだけではみえてこない世界があるのです。

これだけではよくわからないかもしれませんが、ともかく、あなたのなかにある音楽という常識をいったんリセットしてから、次を読み進めてみてください。

天球の音楽と古代ギリシャの宇宙観

あなたは、宇宙の音楽を聴いたことがありますか？

それを真剣に聴こうとした人たちがいます。古代人たちです。彼らにとって自分たちを取り囲む世界を知ることが、生きることと密接につながっていました。なかでも、混沌としているようにみえる宇宙が、じつは統一と調和に満たされているという発見は、驚くべきものでした。

はじめに「音」があった。

宇宙が音とともに誕生したのは、生命が誕生するよりもはるかまえのこと。つまり、音のある世界はぼくたちが創ったのではなく、音のある世界がぼくたちを創ったのです。

この宇宙の誕生につらなる真理を、古代人たちはよく知っていました。だからこそ彼らは**「音という言語」を使って、宇宙が統一と調和に満たされているという「調和（ハーモニー）の謎」を読み解こうとした**のです。古代ギリシャの**「調和の学」**としての音楽も、そこからきています。

なぜ、宇宙は調和するのか？

古代ギリシャ人たちは、天体の観測によって、その謎を解こうとしました。

次ページの図をご覧ください。これは、ピュタゴラス以降の古代ギリシャの宇宙像が描かれたものですが、中央に水・陸の地球が位置し、まわりを元素、月、彗星、金星、太陽、

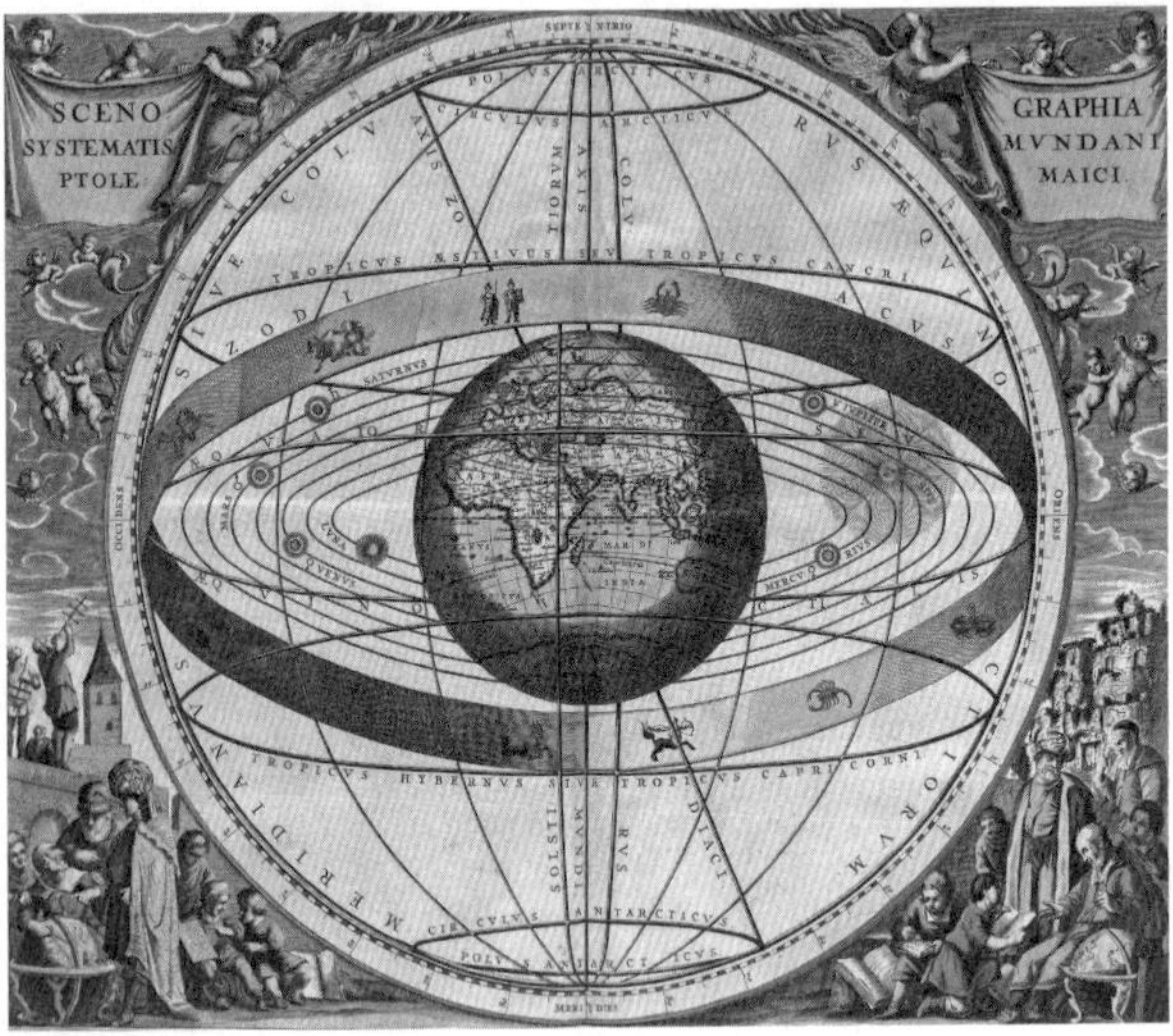

天動説に基づく天球図。1660年頃。

火星、木星、土星などが取り囲み、外側に、恒星圏という層がある。これが宇宙を包む「殻」です。つまり、彼らにとって宇宙は閉じた空間だったということです。そして、これが、天球としての宇宙観です。

その天球をさまよう星たち（惑星＝プラネットとは「さまようもの」の意味です）は、天のメッセージを運ぶものと考えられていました。それを読み解くことが、天文学の使命でもあったのです。

星たちは、なぜぶつからずに規則正しく運動しているのか？　あれだけの大きな物体が動いているのだから、音がしないはずはない。それを聴ければ、宇宙の調和の謎が解けるかも知れない。そう考えられたのです。

それを解き明かしたひとりの賢人。それが、ピュタゴラスでした。

有名なエピソードがあります。たまたま鍛冶屋のまえを通りかかったピュタゴラスは、いくつかのハンマーの音が、不思議に調和していることに気づきます。そこで、ハンマーの違いを調べると、重さだけが異なっていました。それを量ってみると、一対二、二対三、三対四というシンプルな整数比だった。そこで彼は、それを一弦琴に応用し、調和する音程の背後に美しい比率があることを発見し、「**調和（＝ハーモニー）**」**という眼にみえないものの背後にある法則を、眼にみえる整数比に置き換えて解明してみせた。**これは、まさに画期的なことでした。つまりピュタゴラスは、美しいハーモニーの秘密を数値化できた最初の人物といえるのです。

「万物は数なり」の背後にあるもの

ピュタゴラスの「万物は数なり」には、とても深い意味が含まれていますが、注意したいのは、現代のぼくたちは「数の世界」を単純に「数字」に結びつけて理解してしまうことです。

たとえば、自然界の動植物の小さな渦巻きの何気ない形状にも、銀河系の巨大な螺旋《らせん》につながる原理が含まれているように、数の世界は、この世界のあらゆる「もの」と「こと」の根源につながっています。それをあらわす「1」や「2」などの数字や「%」や「π《パイ》」などの記号は、自然や宇宙を貫いて存在する壮大な数の世界を解明するために、あくまで人間が考案した言語にすぎないのです。

ピュタゴラスは、一本の弦から宇宙を読み解こうとしました。世界を解き明かすために「音」を用いたのです。つまり、ピュタゴラスをはじめとして、古代ギリシャ人にとっての**「音楽とは、世界の調和を読み解くための言語」**でもあったわけです。

言語には、たとえば日本語やドイツ語などのように、話すだけでなく、読み、書くことができる言語（仮に眼にみえる言語としておきます）のほかに、世界には眼にみえない言語もあります。たとえば「数」や「音」です。

その「数」によって世界を読み解こうとしたのが、ピュタゴラスだったのです。

古代ギリシャ・ローマに源流を持つヨーロッパの知的体系には、このように「数」としての音楽が組み込まれていました。それは「思弁的音楽（musique speculative）」の伝統として西洋にいまも継承されています。

数学と音楽について、一九世紀に活躍したフランスの社会思想家シャルル・フーリエは「律動的数列について」という論文のなかで、こう述べています。

数学と音楽は、私たちが知っている律動的調和のなかの主たるものである。それゆえ、数学は公正さによって、音楽は正確さによって、ともにすぐれて神の言語である。この律動的調和は私たちにとって神と物質の正しさの徴である。もし私たちの情念がこの律動的調和から排除されているとすれば、宇宙システムの単一性はいったいどこにあるというのだろう。

（『音楽のエゾテリスム』ジョスリン・ゴドウィン著、高尾謙史訳、工作舎）

西洋音楽の長い歴史のなかで、音楽が演奏や作曲だけを意味するようになったのは、わずか数世紀まえのことです。中世のヨーロッパで「音楽家（ムジクス）」と呼ばれたのは演奏家や作曲家ではなく、音によって思考し、宇宙の真理を究める人たちのことでした。

古代人たちにとって音楽を学ぶことは、精神を清らかにし、音楽を通して宇宙の調和と秩序を知ることにほかならず、かの聖職者アウグスティヌスも、天文学者ケプラーも、哲学者デカルトも、西洋の偉大な知の巨人たちは、みな『音楽論』を著しました。

古代・中世の賢者たちにとって、音楽は演奏というよりも知識であり、娯楽というよりも教養でした。それは、音によってしかみえない世界があると、彼らは知っていたからです。

コスモロジーとしての音楽

古代ギリシャ人たちは、音楽を次の三つに分けて考えていました。

「ムジカ・ムンダーナ（宇宙の音楽）」「ムジカ・フマーナ（人体の音楽）」「ムジカ・インストゥルメンタリス（道具の音楽）」の三種です。

このなかでいまぼくたちが音楽と呼ぶもの、いわゆる楽器などを使って演奏する音楽（耳で聴く音楽）は、三番目の「道具の音楽」だけです。ここでの「道具」には、楽器だけでなく、人の声も含まれます。

ほかの音楽、しかも「道具の音楽」より高位にあるふたつの音楽は、いわゆる耳で聴く音楽ではありません。調和（＝ハーモニー）そのものの表現だからです。

耳に聴こえない音楽？　どういうことでしょうか。

そもそも、色は光の波で、音は空気の波です。人間が色として識別できる光のほかにも、赤外線・紫外線など眼にみえない光の波が存在するように、人間には聞こえない低周波や超音波でコミュニケートしているクジラやコウモリなどの動物がいるなど、光や音の世界は、人間の想像をはるかに超えています。古代人たちは、その壮大な宇宙の音楽そのものを「音楽」と呼んだのです。

古代ギリシャで「宇宙」は、「多数」「集まり」の「ユニヴァース（universe）」ではなく、「調和」「秩序」を意味する「コスモス（kosmos）」と呼ばれたことも、彼らが宇宙をどうとらえていたかをよく示しています。その対極が「カオス（chaos）＝混沌」です。

さらに、古代ギリシャには「両宇宙」（「大宇宙〈マクロコスモス〉」と「小宇宙〈ミクロコスモス〉」）という概念があり、このふたつは互いに照応していると考えられました。**音楽は、大宇宙（マクロコスモス）と人体（小宇宙＝ミクロコスモス）を「調和＝ハーモニー」によってひとつにつなぎ、一体化させる重要な役割を果たしていた**のです。

人体の音楽とは、人体そのものが宇宙のあらゆるものとシンクロするひとつの楽器にほかならないということ。宇宙の調和が人体に照応し、それが身体の健康やバランスをもたらすと信じられたように、古代ギリシャ人にとって大宇宙から小宇宙をつらぬく「**両宇宙の統一と調和**」こそが、ハーモニーの象徴としての音楽なのです。

洋の東西を超えたリベラルアーツの精神と音楽

この「両宇宙」の概念は、古代インド思想の「梵《ぼん》我《が》一如《いちにょ》」にもつながっています。梵我一如とは、宇宙（梵・ブラフマン）を支配する原理と、個人（我・アートマン）を支配する原理が同一であるという思想ですが、「世界は音である」という古代インドの「ナーダ・ブラフマー」の教えにも共鳴しています。すなわち、**両宇宙の統一と調和こそが、「コスモロジーとしての音楽**」なのです。

この、コスモロジーとして音楽をとらえるという思想は、古代ギリシャだけでなく、アジアにもあります。古代中国の荘子は、音楽を「天の音楽（天籟《てんらい》）」「地の音楽（地籟《ちらい》）」「人間の音楽（人籟《じんらい》）」の三種と考えました。古代ギリシャ人の音楽観と似ていますね。

日本の雅楽の三管と呼ばれる楽器は「笙《しょう》」が天の光を、「篳篥《ひちりき》」が地上の声を、「龍笛《りゅうてき》」は天地のはざまをかける竜をあらわしているとされます。一〇〇〇年以上の歴史をもつ雅楽の響きは、メロディーを聴き慣れた現代人の耳には奇妙に響きますが、これを古代人による壮大なコスモロジーとしての音楽として聴けば、心に迫ってくるものがあります。

「詩に興《おこ》り、礼に立ち、楽に成る」（私たちの人格形成の順序は、詩に感動して、礼を学んで確立し、音楽を学ぶことで完成するという意味）。これは『論語』にある孔子の有名な言葉ですが、中国の古典中の古典である『論語』でも、音楽はとりわけ重要な役割を与えられてきました。

古代の人々は音楽によって全世界を理解した。それ自体で完結していて、これほどシメトリックで比率の整ったものは他に見出せなかったからだ。

これは、東ローマ帝国の歴史家プセッロスの言葉ですが、ここに、さきほどの孔子の言葉「詩に興り、礼に立ち、楽に成る」を重ねあわせてみると、音楽をめぐる古代ギリシャと古代中国を貫く一本の線がみえてくるはずです。

このように、洋の東西を超えたリベラルアーツの精神には「音楽」が深くかかわっているとともに、宇宙の音楽は、洋の東西を超えて、古代の人々の営みに息づいていました。

そしてこれこそが、リベラルアーツの根底に流れる精神でもあるのです。

幾何学とは「地球」を「測る」こと

ここまで、数によって世界を読み解こうとした古代ギリシャ「四科」について、数と音を中心にみてきましたが、「数」についてはそれでいいとしても、では「量」についてはどう考えればいいのか？　それをかんたんにおさえておきましょう。

まず「停止している量」を扱う幾何学ですが、幾何学のラテン語である「geometria」とは「地球（geo）」を「測る（metrum）」こと。つまり、幾何学とは、ごくおおざっぱにいえば、いかにこの大地を把握するかであり、「停止する量」とは「地球」のことでもあります。幾何学が「形の学」と呼ばれるのは、それが面積などを測ることからきていることからもわかります。

幾何学といえば、まず思い浮かぶのは、古代ギリシャの数学者ユークリッド（エウクレイデス）の名前でしょう。プトレマイオス一世の治世下のアレクサンドリアで活動した人物ですが、謎に包まれた生涯でありながら「幾何学に王道なし」という言葉で知られる彼が編纂した『原論』は、じつに一九世紀まで唯一の幾何学でした。その後、「非ユークリッド幾何学」が現れますが、いまでも「幾何学」の基礎といえば、ユークリッド原論を意味するほど、重要な業績を遺した人物です。

さて、のちに学問として成立する「数学」には、ふたつの顔があります。「離散数学」と「連続数学」です。

「離散数学」が扱うのは、人間、りんご、本など数えられるもの。個、冊などの単位で数えられるものといってもいい。人類が離散数学を使ったもっとも古い痕跡は、アフリカのコンゴで発見された「イシャンゴの骨」（後期旧石器時代）に残されています。その骨には、何かを数えたと思われる刻み目が残されていたのです。

「連続数学」が扱うのは、ひとつふたつと数えられないもの。たとえば、液体や土地などは、分量や面積を測らなければその量や大きさはわかりません。

いいかえれば「離散数学」は「数」の数学、「連続数学」は「量」の数学といえます。

そして「連続数学」の「測る」というのは、本来なら数えられないものを数えるための手段でもありますが、この「測る」という行為のなかに「幾何学」の起源があるのです。

天文学とは「宇宙」を「測る」こと

最後に天文学です。現代で「天文学（astronomy）」といえば、天体や天文現象など、地球外で起こる自然現象の観測や法則の発見を行う学問ですが、古代ギリシャ以前の古代エジプトやバビロニアなどの農業を主体とした国家では、天文にかんする知識は、生活と生命に直結した、まさに、生きるための知恵そのものでした。天文学とは、星や月など宇宙の動きを測ること。そして、古代から人々はつねに天体のリズムとともに生きていたのです。

「一年は三六五日」は、いまでは子どもでも知っていますが、暦とは、人々が長い時間をかけて天体の位置を注意深く観測してようやく知ったことです。

なかでも、月の満ち欠け、つまり月の位相は、バビロニアにとってもっとも重要なものでした。彼らの太陰太陽暦は、日本でも明治初期まで使われていた暦ですが、昼と夜の長さが同じになる春分から次の春分まで、月の満ち欠けがおよそ一二回あることから、一年を一二カ月に分けた暦のことです。

春になれば種をまき、秋になれば刈り取るという収穫の暦だけでなく、たとえば古代エジプトでは、命の動脈ともいえるナイル川が、夏になると増水と氾濫を繰り返し、街中や畑を泥だらけにしてしまうことを暦をもとに予測するなど、天文学は、彼らが生きていくための生活のリズムにも直結していたのです。

太古から人類は、自分のまわりにある世界だけでなく、みることができない世界をもさまざまに想い描いてきました。たとえば、古代インドでは、世界は巨大な亀の甲羅に乗った三頭の象が半球状の大地を支えているとか、中国では、天は蓋のように大地を覆っているという蓋天説、あるいは卵殻形の天が卵黄に相当する地球を包んでいるという渾天《こんてん》説など、世界にはじつにさまざまな宇宙像がありますが、これらは、すべて神話的宇宙像というべきものです。その神話的宇宙像が、科学的宇宙像となったのが、古代ギリシャの時代でした。

日本語の「宇宙」という言葉は、もともとは漢語で「宇」とは空間を「宙」は時間を意味します。つまりぼくたちにとって宇宙は、時間と空間そのものを意味しているのに対し、古代ギリシャ人が「宇宙」を「調和」「秩序」を意味する「コスモス（kosmos）」と呼んでいたことにも、彼らの宇宙観があらわれています。

つまり、**古代ギリシャ人たちにとっての天文学とは、宇宙を物理学的に解明する世界像としての天文学ではなく、宇宙の秩序をつかさどる世界観としての天文学だった**のです。

古代ローマから中世大学へ

リベラルアーツに相当するギリシャ語に「エンキュクリオス・パイデイア（enkyklios

paideia)」があります。

「パイデイア」は、ふつう「教育」と訳されますが、「文学」「文化」「伝統」などの意味も含む幅広い言葉です。もともとは子どもを訓練して成人にするという意味です。

「エンキュクリオス」は「丸い」「円環を描く」という意味ですが、たとえば、古代ギリシャ演劇の上演で、合唱と舞踏「コロス（のちに合唱を意味するコーラスの語源）」が円を描いて配置することや、天体の現象にかんして「円を描く運動」の表現にも用いられた言葉です。そこから派生して「日常の」「普通の」という意味もあります。

すなわち、古代ギリシャのリベラルアーツである「エンキュクリオス・パイデイア」は、「すべてが円を描くようにつながった教育科目」とも「一般的な教育科目」とも解釈できますが、ここにも「ムーシケー（音楽）」と深いつながりがあることがわかります。つながりどころか、エンキュクリオス・パイデイアの起源は、音楽であるといってもいい。それは、円環的に配列された体系的な教育科目の背後には、ハーモニー、リズムという、音楽の象徴ともいえるバランスと調和があるからです。

リベラルアーツの語源となる「アルテス・リベラレス」が誕生したのは、古代ローマ時代です。古代ギリシャの「四科」に文系の「三科」（「文法」「修辞学」「論理学」）が付加されたのもこの頃のことですが、ここでおさえておきたいのは「アルテス・リベラレス」の誕生は、古代ギリシャのいわば数学的なリベラルアーツが、人文的なリベラルアーツと重なっていく過程でもあるということです。

古代ローマでの教育としてのリベラルアーツは、古代ローマ時代の紀元前一世紀の学者、政治家であったキケロとウァロの時代に確立したと考えられています。キケロは「アルテス・リベラレス」を「人文的学習」とし、ウァロは「パイデイア」を「ヒュマニタス」と訳したとされています（『リベラル・アーツとは何か〜その歴史的系譜』大口邦雄著、さんこう社）。

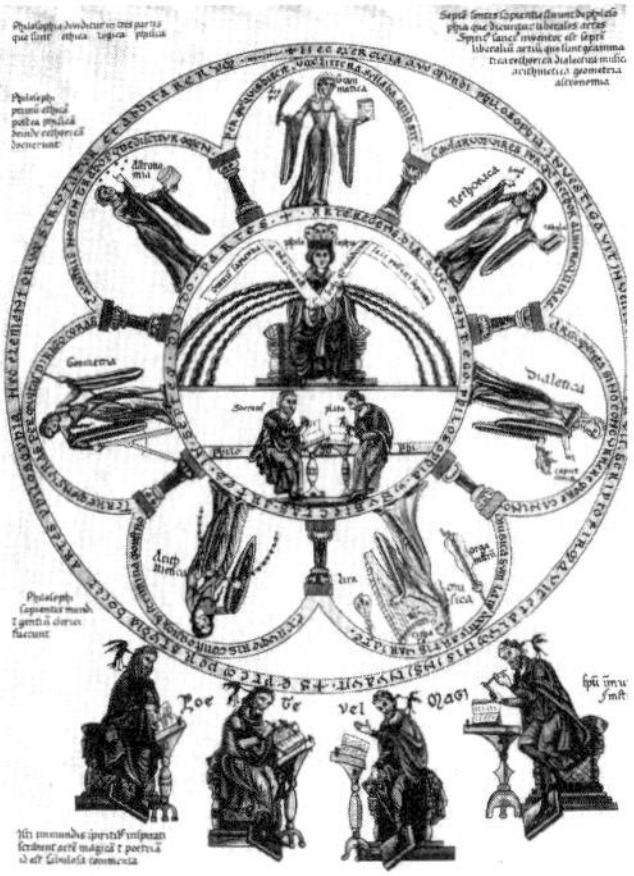

フランス・アルザスの修道女ランツベルクのヘラートによるリベラルアーツの絵。12世紀頃。

「自由七科」としてのリベラルアーツは、五世紀前半に書かれたマルティアヌス・カペラ（五世紀前半に活躍したカルタゴの文人）の七学芸を擬人化して書かれた書物によって中世に確立したと考えられています。世界を読み解く言語としての「音楽」も、古代ローマ時代には、耳と音声の訓練と理解され、音響学であるよりも詩文の鑑賞を助けるためという人文的要素が強調されていきます。

西洋の教育機関としての大学は、一一世紀に誕生しますが、初期の大学には図書館もなければ実験室や博物館もなく、卒業証書もなかったといわれ、それは、いわば教師と学生の「組合」のようなものであったと考えられています。

もともと「大学(universitas)」という言葉は、広くは「組合」や「ギルド」を意味していました。いわば「共同体」です。じっさい中世にはこのような共同体は数多く存在していましたが、それが次第に「教師と学生の学問的な共同体ないしは組合(universitas societas magistrorum discipulorumque)」を指すようになったといわれています。

教育としてのリベラルアーツも、学者たちのいる場所、学習の行われる場所が大学へと変わっていくことに伴い、大学に移っていきます。現在でも、欧米の大学などでは、講堂の周囲に七つの学科を代表する女神の立像が飾られているのをみることができます。

第二章　リベラルアーツの源流②
——古代中国の「六芸」

古代中国のリベラルアーツ「六芸」

ここからは、東洋のリベラルアーツである古代中国の「六芸」です。

古代中国で「六芸」はふたつの異なる意味で用いられてきました。ひとつは前漢の武帝の時代、儒教の六つの経典を指し、もうひとつはそれが転じて、周王朝の時代から身分あるものが修めなければならないとされ、後世に確立された六つの技芸を指します。

リベラルアーツとしての「六芸」は後者になりますが、その六種とは、すなわち「**礼**」「**楽**」「**射**」「**馭**《ぎょ》」「**書**」「**数**」です。

まずは、各々の字源から、その意味するところをみてみましょう。

「礼」の篆文《てんぶん》（漢字の古代書体の一種。広義には秦代よりまえの書体を指すが、漢字の成り立ちを知る手がかりとしても用いられる）は「神」の意である「示」と、音を表す「豊」を合わせた字です。「神に酒を捧げる」という字義から、礼儀、拝礼、謝礼などの言葉が生まれます。

「楽」は、「柄のある手鈴の形を表した象形文字で、白の部分は鈴、その左右の「幺《よう》」は糸飾り。もと舞楽でこれを振って神を楽しませた」とされます。ここから、広く「音楽」を表す言葉として用いられるようになりました。

「射」の契・金文は「弓に矢をつがえている形」で、「馭」は馬に乗ること。つまり「射と馭」は、弓（武器）と馬を操ることで、武芸を意味します。

「書」は「聿《いつ》」と「者」を合わせた字で、聿とは筆を手に持つ形。筆を意味します。その字義は、筆で写して似せるという意味ですが、あくまで「書く」ことが本義で、「書物」を指すようになったのは、ずっと後世のことです。

「数」は、手で操作する意味を表す「攴《ぼく》」と音を表す「婁《ろう》」からなる字で、その字義は、手で操作して物をかぞえることです。

ではここからは、もう少し詳しく「礼」「楽」「射」「馭」「書」「数」という六つの文字に秘められた意味を読み解いてみましょう。

「礼」は、世界の万物の仕組みを知ることからはじまる

まず「礼」です。この文字からまず思い浮かぶ「礼儀」は、人が行動するときに守るべき作法のことですが、それは「礼」という広大な世界のごく一部を切り取ったにすぎません。「礼」とは、あらゆる社会の秩序をかたちづくるものであるとともに、この宇宙を「天地の実理」によって読み解き、人がそのなかにあってどう己を律すべきかという古代中国の深遠な思想が秘められているのです。

故《ゆゑ》に人は、其れ天地の徳、陰陽の交、鬼神の會、五行の秀氣なり。故《ゆゑ》に天、陽を秉《と》りて、日星《じっせい》を垂れ、地、陰を秉《と》りて山川に竅《けう》す。五行を四時に播《し》き、和して後に月生ず。是《ここ》を以て三五にして盈《み》ち、三五にして闕《か》く。

（『礼記』「礼運第九」、『新釈漢文大系 第27巻礼記（上）』所収、竹内照夫著、明治書院）

これは中国の古典『礼記』の「礼運」にある、人と自然と礼にかんする一節ですが、同書を参考にざっと訳してみると、こうなります。

そもそも人間は「天地の徳」（天は万物をおおい、地は万物をのせ、万物造化のもとになるとい

う天地の実理）に、陰陽ふたつの性質が交わり、諸神諸霊の協力、五行（木火土金水）の最良の霊気の配合によってつくりだされている。天は陽性を備えて日や星辰を空につらね、地は陰性を備えて山野川海を形成する。また天は五行を用いて四つの時（それぞれの季節の性質をあらわす時）を巡らしめ、季節の動きに応じて月は満ち、また欠けるようにしたから、そこで月は一五日で満ち、一五日で欠ける。

　ここに登場する「陰陽」とは、森羅万象、宇宙のあらゆる事物を「陰」と「陽」というふたつの異なる属性の気として分類する思想。「五行」は陰陽から変じたもので、「木」「火」「土」「金」「水」の五つを指し、万物を構成する五つの要素のことです。ただ、「陰陽」も「五行」も、言葉の意味だけを知ってわかるほどかんたんではありません。ここには、古代中国の宇宙観・自然観の根本思想とともに、人がよりよく生きるための叡智が凝縮されているからです。

　天地の陰陽が調和を保ち流れゆくことで、自然や万物の世界は息吹を与えられる。この世界原理をもっともよく整え持つことで、人間は生まれでてくる。したがって**もっとも優れた人間らしさは、規則正しい世界原理からはみださないこと**のなかにある。

　天地の動く理を正しく観て、それを正しく行動のなかにあらわしていくことが必要だと

「礼」は説きます。つまり**「礼」とは、宇宙の摂理と、世界の万物の仕組みを知ることからはじまる**のです。

「礼」と「楽」の深いつながり

「礼」「楽」「射」「馭」「書」「数」からなる「六芸」は、「礼と楽」「射と馭」「書と数」というふうに、三つのグループに分けることができます。

なかでも、日本文化にも深くかかわる「礼楽」思想からもわかるように「礼と楽」は六芸の筆頭に挙げられるほど重要な役割をもっています。

「礼」も「楽」も、その背後には「神」の存在があり「鬼神を祀る儀礼」でもあることから「礼」には「超越的なものとコミュニケーションする技術」という意味もあります。

これは『変調「日本の古典」講義』（内田樹《たつる》、安田登共著、祥伝社）に登場する表現です。

この本は『論語』や『礼記』など中国の古典を、日本人の身体感覚から読み解いたすばらしい本です。ふたりはいま日本で最高の「六芸」の語り手でもあるので、ここからは、その自在な語りに耳を傾けてみましょう。

「礼というのをただの礼儀作法のことだと解釈している人がいますけれど、そんなものが

「楽」の字の金文。

君子の習得すべき技芸の第一位に置かれるはずがない」として、内田は「学知というのは、どこからどこまでが『人知の及ぶ領域』で、どこから『人知の及ばぬ領域』が始まるか、まずその境界線を確定するところから始まる」といいます。「礼」とは「人知の及ぶ限界を確定するときの、一番遠い線のこと」だというのです。

「超越的なものとのコミュニケーション」という意味では、音楽はまさに古代から神とのコミュニケーション・ツールでした。古来、神道では、神は「音霊《おとだま》」に乗って現れるとされたように、音は、人が超越的なものとコンタクトするときに欠かせないものでした。いまでも、神社に詣でるときに柏手を打つのも、本坪鈴を鳴らすのも、神を呼び起こすために「音の力」を使っているわけです。

前々項で「楽」を「柄のある手鈴の形を表した象形文字」と紹介しましたが、漢文学者の白川静《しらかわしずか》は「楽」の漢字の金文は「某」の字の上の部分が変化した「日」を「白」に変えて、木のまわりに振り太鼓のバチを付けた文字で、その「白」とはドクロ（人の頭蓋骨）であり「偉大な指導者や強敵の首は、ドクロとして保管した」と解説しています。

さらに、安田は「たとえば殺した英雄の頭蓋骨に、彼の皮を張ってその太鼓を打つ。すると、その英雄の霊がやってきて、その太鼓を打つ楽師やその場にいる王などに英雄霊が感染」するという話を紹介しながら、「『楽』というのは『存在しない存在』を呼ぶ装置」だといいます。

まとめてみると、「礼」も「楽」も、人が自分のまわりにある得体の知れない世界と向きあうとき、いかにそれとコンタクトし、コミュニケーションをとっていくかという技術とも読み解くことができます。すなわち、

「礼」とは、超越的なものとコミュニケーションする技術
「楽」とは、超越的なものとコンタクトする技術

となります。

「射」と「馭」は自然のパワーをコントロールすること

「射」は弓道で、「馭」は馬術。日本では「弓馬の道」すなわち武芸を指します。ただ、これはたんなる技術としての武芸を意味しているわけではありません。

「射」とは自分の手を離れた矢を操る技術で、「馭」は言葉が通じない馬を操る技術とす

れば、「自分の手を離れた矢」や「言葉が通じない馬」つまり、自分のものではない自然の力を、いかにコントロールしていくかということにもつながります。

「武器は作為によって操作するものじゃない。それを通じて自然の強大なパワーを現実世界に発現できるように、その走路を妨害しないように、身体を調える技術のこと（内田）」なのです。

『礼記』のなかの「射義」の一節には、こうあります。


射は仁の道なり。射は正《せい》を己に求む。己正しくして后《のち》に發《はっ》す。發して中《あた》らざれば、則《すなは》ち己に勝つ者を怨《うら》みず、反《かへ》りて己に求むるのみ。

（『礼記』「射義第四十六」、『新釈漢文大系 第29巻礼記（下）』所収、竹内照夫著、明治書院）


竹内照夫の解説には「弓射は『仁』を実行する道を示している。射は、まず正しさを射る人の身に求める。本人の身心が正しくなって、そこで矢を放つ。放って当たらなくても、己に勝つ者（相手）を恨まない。反省して欠点を自己の内に追及するのみである」とあります。

ここにある「仁」とは、儒教における最高の徳を意味しますが、この「仁」は、いまから約二五〇〇年まえの中国に生きた賢者のなかの賢者といえる孔子でさえ、自分もまだその境地には達していないという困難なシロモノです。

孔子の言行録である『論語』には「仁」がじつに一〇〇回以上も登場しますが、なかなかつかめない。たとえば「仁は手に入れるのが難しい。しかし仁を手に入れるのは簡単だ」とか「仁の基礎は礼である。しかし礼も楽も仁がなければ機能しない」など、とてもわかりにくい。その難しさは承知のうえで、あえて簡単にいえば「仁」には、己への「正」（すなわち正しさという個人の道徳）を基にした他者への「思いやり」「いつくしみ」という性格を含んでいます。『中国思想文化事典』（溝口雄三他編、東京大学出版会）には仁は「愛情、憐れみなどの意味」とありますが、家族への愛情がその原点にあるようです。

「書」と「数」は文字や数字を通して存在しないものと出会うこと

「書」とは書物の意味ではなく、筆を手に持つ形が「筆」の文字になったとすでに書いたように「筆で写して似せる」という意味ですが、この「似せる」ことに重要な意味があります。昔の書の手本に似せて書くことを「臨書《りんしょ》」といいますが、ここでは、字の形を真似るというよりも、筆使いや息づかいを似せることで、いまここに存在しない手本書の書き手に出会うわけです。

孔子一門の「学」の基本は、「脱魂や憑依という巫祝の技法を通じて祖霊や神霊という『超越的なもの』と出会ったり、一体化すること（安田）」だったといいます。つまり「書」は、文字を使って存在しないものに出会うための技術だったのです。

では「数」はどうかといえば、「数」もやはり文字と同じように数字を使って、超越的なものとかかわる技術といえます。

古代ギリシャのリベラルアーツにとって「数」が宇宙までをも貫く壮大な世界の原理を描いたように、古代中国でも「数」という新たな表現言語は、たとえば易が六十四卦を用いてあらゆる事象を数字の象徴で表現し、その組み合わせで未来を占ったように、時空を超えた思考の広がりという可能性を手にするための基礎となったことにも注意しておきたいと思います。

このようにみてくると、古代の中国のリベラルアーツである「六芸」の目的は、超越的なものや「意を通じ難い他者といかにしてコミュニケーションを成り立たせるか（内田）」に集約されているともいえそうです。

まとめ　リベラルアーツを現代と重ねあわせてみる

ここまで、古代ギリシャの「四科」と、古代中国の「六芸」という、いわばリベラルアーツの源流をみてきましたが、あらためてリベラルアーツという、いわば古代人の叡智から、現代という時代を生きるぼくたちは、何を学ぶことができるのでしょうか？

「数」とか「神」とか「仁」とか「超越的存在」とか、これまで登場してきた言葉たちは、新世代の君たちからみれば、まるでゲームかアニメの世界にしか映らないかもしれませんが、ぼくたちが「あたりまえ」と信じている「常識」とは、たかだか一〇年くらい、ヘタをすれば一瞬でかんたんに覆ってしまうようなもろいものです。

たとえば、たったひとつの未知のウイルスが世界の景色を変えた、二〇二〇年の新型コロナウイルスの大流行を思い浮かべてみると、世界中の人々が全員マスクをして街を歩く光景など、二〇二〇年のはじめには、誰ひとり想像すらできなかったはずです。

現代という時代は、物質的・経済的な繁栄こそが文明の善であるという「常識」に囚われた時代でもある。けれどもその常識はこの日本という島国では、たかだか一〇〇年ほどのものでしかない。日本列島にはじめて人類がやってきたのは約四万年前と考えられていますが、その膨大な時間のなかの、ほんの一瞬でつくられた「常識」にすぎないのです。

あまりにも物質的な繁栄という「ものの世界」を追いかけるあまり、いつにまにか多くの日本人は「物」と「心」は別物だと考えるようになっていきました。ところが、近世までの日本人にとって、ずっと物と心とは一体でした。自然と人間もまた一体で、人の手から生み出されたものも、すべて自然の一部をとどめ、自然を感じさせていたのです。明治時代に近代文明と呼ばれるものが怒濤のように入ってくるまでの長い時間を、日本人はそのような世界観のなかで生きていたことを、ぼくたちはいま、再び考えてみなければならないときなのかもしれません。

この日本という島国で途方もなく長い時間を生きた人々が、何を考え、何を大切に思っていたのか？　このことを新世代の君たちは、あらためて歴史から学び、見つめ直してほしい。そして、たった一〇〇年の時間でつくられた「常識」をもういちど問い直し、よりよい未来をつくるために、先人たちの叡智をどう活かせばいいのか？　それを考えることが、現代を生きるぼくたちにリベラルアーツが教えてくれることでもあるはずです。

リベラルアーツの正体とは？

これまでもみてきたように、日本語に翻訳されないままに浸透した「リベラルアーツ」

という言葉は、外国語であるために西洋のものと思われがちですが、リベラルアーツの精神は「リベラルアーツ」というひとつの言葉で表現できるようなものではなく、古代から脈々と受け継がれてきた人類の叡智のひとつの結晶といえるものです。

だから、**リベラルアーツは、リベラルアーツであってリベラルアーツでない。それが翻訳されようがされまいが、ほんとうのところは瑣末《さまつ》なこと**です。というよりも、リベラルアーツという言葉すら、じつはどうでもいいのかもしれない。

それよりも重要なのは、**リベラルアーツの根源にどのような精神が流れ、それを現代に生きるぼくたちが、どのように未来に活かしていくか**ということにあります。

いよいよ、ここからが結論です。

リベラルアーツは、世界を読み解くための「方法」であり、世界を語るための「言語」である。

これまでみてきたリベラルアーツの精神を要約すると、この一言になります。ここまで「リベラルアーツとは何か?」という想いで読んでくれた新世代の君たちは、これをどう思いますか？

けれども、結局のところ、**真のリベラルアーツとは、その概念からも抜け出して、ひとりひとりが己の人生のなかで積み重ね、つくりあげたもの。その人のものでしかない、その人と同化したときに、はじめてほんとうのリベラルアーツになる**ともいえます。

そのとき、リベラルアーツは、もはやリベラルアーツという名前ですらない、別の「あるもの」になる。そうしてはじめて、リベラルアーツの正体ともいえるものが、はっきり現れてくるといえるのかもしれません。

第三章　日本にやってきた西洋のリベラルアーツ

明治時代にやってきた西洋の「リベラルアーツ」

ここからは視点を変えて、「リベラルアーツ」という西洋語が、いつ、誰によって日本にもたらされたのか、その由来を探ってみることにしましょう。

リベラルアーツは、日本では大学で教えられる教養科目のように理解されてきましたが、とくに第二次世界大戦後の一九四九年に、東京大学でリベラルアーツ教育を重視する「教養学部」が設置されてから、日本では「リベラルアーツ教育」という教育語の普及とともに「教養」という言葉と深く結びつけられてきました。

であれば、いっそ「リベラルアーツ」という英語を「教養七科」という日本語にでも訳してしまえばよかったのに、なぜかそうはならなかった。結局、リベラルアーツは日本語になることなく「リベラルアーツ」という英語のまま浸透しています。なぜか？

もしかすると、日本語には置き換えようのない言葉だったのか？

そのような疑問から、リベラルアーツの来歴を調べてみると、おもしろいことがみえてきました。明治初期にはじめて日本に紹介されたとき「リベラルアーツ」は日本語に翻訳されなかったわけではなく「哲学」や「概念」など多くの翻訳外国語とともに日本語の訳語もきちんと提案されていた。にもかかわらず、その訳語はその後まったく別の意味に転用され、リベラルアーツの訳語としては定着しなかった。このあたりはちょっとしたミステリーのようでおもしろいのですが、ともかく「リベラルアーツ」という言葉が日本に紹介された時代をふりかえってみることにしましょう。

西周とリベラルアーツ

「リベラルアーツ」という外国語をはじめて日本に紹介したのは、江戸後期から明治前期に活躍した日本の啓蒙思想家で、政治家・教育者でもあった西周《にしあまね》（一八二九〜一八九七）といわれます。

西は明治政府の国学となった「獨逸学《ドイツがく》」を推進した中心人物のひとりで、獨逸学協会の創立メンバーでもありました。明治初期の外国語の翻訳に大きな役割を演じた人物で「哲学」「心理学」「理性」「概念」など、いまではおなじみの翻訳語の多くが彼によって考案されています。

その彼が、明治三年に彼の私塾で講義した『百学連環《ひゃくがくれんかん》』という講義録に「Liberal Art」という言葉が登場してきます。その部分を少し引用してみます。

術《わざ》に亦《また》二つの区別あり。Mechanical Art（器械技）and Liberal Art（上品芸）．原語に従ふときは則ち器械の術、又上品の術と云ふ意なれと、今此の如く訳するも適当ならざるべし。故に技術、芸術と訳して可なるべし。

（「百学連環　総論」『科学と技術　日本近代思想大系14』岩波書店）

ここに「Liberal Art（＝リベラルアーツ）」という英語が登場してくるのです。

おもしろいのは、この「Liberal Art」の最初の日本語訳が「芸術」だったこと。それに「メカニカルアート」と「リベラルアート」がセットで紹介され、それぞれに「技術」と「芸術」という訳語が与えられているところです。序章の冒頭に登場した、スティーブ・ジョブズの「テクノロジー」と「リベラルアーツ」の対比に似ているといえなくもないですが、ここではあえて追求しません。

さらにおもしろいのは「リベラルアート」の意訳に「上品芸」という、いかにも時代がかった風流な訳語があてられていること。もしリベラルアーツが「上品芸」という訳語のまま日本に定着していたとしたら、きっとこの国は、いまぼくたちがみているものとは、まったく別の景色をもつ国になっただろうなと想像してみるのも楽しいかもしれません。

この『百学連環』は、当時の西洋の学術全般について幅広く紹介した講義ですが、西がわざわざ区別した「技術」も「芸術」も、江戸時代まであれば「わざ」という一言であらわせたはずです。

「わざ」に含まれる意味を漢字にあてれば「技、術、芸、業、工」となりますが、明治期、西洋文明を輸入するためには西洋的な考え方も導入する必要があり、そこで日本由来の「わざ」と外来の「術《わざ》」を区別する必要が生じた。そこで西は「技術」と「芸術」を区別することを提言したというわけです。

「技」と「芸」というふたつのアート

もうひとつ注目しておきたいのは、同じ「Art（アート）」の訳語に「技」と「芸」というふたつの語があてられていることです。この違いについて、西は、このように解説しています。

「技」とは、手足や体を働かせるという意味の字であり、例えば大工などのように身体を働かせるものはすべてこれに該当する。「芸」とは、精神を働かせるという意味であり、例えば詩や文章を作ることなどがすべてこれに該当する。

（『「百学連環」を読む』山本貴光著、三省堂）

引用した『「百学連環」を読む』の著者山本貴光によると、西は、この『百学連環』を講義するにあたり『ウェブスター英語辞典』という辞書を参考にしていたそうです。この辞書は明治の知識人たちのバイブルともいえるもので、福澤諭吉、前島秘《ひそか》、内村鑑三など、そうそうたる知識人・実業家が、この辞書を手にしました。いわば彼らの西洋知識の源泉でもあったわけです。そこで、この辞書（一八六五年版）にある「アート」についての項目の日本語訳を同書より引用してみます。

アートは、「手芸（Useful）」「技術（mechanic）」「工芸（industrial）」と「芸術（liberal）」「美術（polite）」「美術（fine）」に分けられる。「技術（Mechanic arts）」とは、精神というよりは、もっぱら手や体に関わるもので、例えば服や日用品をつくることなどである。こうしたアートは「手仕事（trades）」と呼ばれる。これに対して「芸術（Liberal Arts）」あるいは「美術（Polite Arts）」とは、もっぱら精神や想像力に関わるものであり、例えば詩や音楽や絵画など〔をつくること〕である。かつて「リベラル・アーツ」という言葉は、学問（sciences）や哲学、あるいはアカデミーでの教育の全系統（circle）などを意味するために用いられていた。

（同書）

これをみると、英語圏の人々にとっての「アート」の領域が、現代的な常識よりもはるかに広大であることがわかります。では、なぜ「アート」という幅広い概念が、日本では美術や音楽など、ごく限定された領域のみを指す「芸術」という意味で用いられるようになったのか？　このあたりは、あらためて第五章で考えてみます。

ここで日本語の「芸術」という言葉にふれておきます。そもそも日本語の「芸術」は、幕末の思想家である佐久間象山の『省諐録《せいけんろく》』に、すでに「東洋の道徳、西洋の芸術」という記述がみられるように、西周の翻訳によって誕生した言葉ではありません。象山の「芸術」は「科学を応用した技術」と説明されていて、広く産業技術全般の意味を含んでいました が、西は、そこから「技術」と「芸術」を区別することを提言したというわけです。

ただ、明治初期は「芸術」という語が、現代の「ファイン・アート」としての芸術よりもむしろ「リベラル=遊」に近い、もっと自由な意味で用いられていたということは、注意しておく必要があります。

リベラルアーツは「教養」ではなかった?

ここで注目しておきたいのは、**明治時代初期にリベラルアーツが日本に紹介された当初は「教養」という概念に結びついていなかった**ことです。いままでは「教養」そのもののように考えられている**「リベラルアーツ」は「教養」よりむしろ「芸術」「アート」に強く結びついていた**のです。

リベラルアーツが「教養」や「教育」に結びついていく過程は、日本における「教養史」や「教育史」という別のテーマになるので、この本では詳しくはふれませんが、ざっと流れをたどれば、次のようになります。

日本で教養や教育カリキュラムとしてのリベラルアーツが意識されるようになったのは、第二次世界大戦後、アメリカ合衆国の主導による教育刷新委員会の議論を経て、文部省が旧制第一高等学校を新制東京大学教養学部に組み込んでからのことです。

その前史として、学歴エリート文化の中核としての日本型の「教養主義」が確立するのは大正時代からですが、その背景には明治期の立身出世型の「修養主義」から、精神的な人格形成を目指した「教養主義」という大きな流れがあります。

かんたんにいえば「教養を身につけると立派な人になれる」という価値観です。新世代の君たちにぜひ知っておいてほしいのは、これは**万国共通の価値観などではなく、きわめて日本的で、しかも偏った価値観にすぎない**ということです。だから、旧世代の大人がことさらに「教養」を振りかざしても騙されてはいけません。教養人イコール人格者（立派な人）を意味するわけではないのです。

それどころか、行き過ぎた大正教養主義が「自分はインテリで教養人である」という虚栄心から舶来文化をことさらに崇拝し、世間一般を見下す傲慢な知識人を輩出するなど、日本型「教養」が、悪しき伝統を生み出してきたことも一面の事実なのです。

この本では、それらをまとめて「日本型教養主義」と呼びますが、そこから「知識人」と呼ばれ、日本の高度成長期を支えた優れた人材を輩出してきた一方で、西洋の知識が珍重された時代からの西洋かぶれや、難解な西欧哲学を振りかざすエリート教養主義から専門バカと呼ばれた知識人たちの増殖、そして現代の商品化された「教養ビジネス」まで、日本型の教養は、あまりにも欲望や権力の道具となってしまったという負の側面が、いまや教育の現場を含めた大きな社会問題として浮き彫りになっているのです。

では、はたして、これからの「教養」とはどうあるべきか？

これは難しい問題ですが、これまでの日本における偏った教養主義への反省も含めて、これからの教養は、個人というよりも社会という単位で考えていかなければならないテーマだと、ぼくは思います。これは、第三部であらためて考えます。

第四章 「リベラル」と「アート」を解剖する①
――リベラル編

ふたつの「自由」の違いとは?

ここまで、西洋と東洋のリベラルアーツの源流と、日本にやってきた西洋のリベラルアーツについてみてきました。いまだ日本語になっていないリベラルアーツですが、これを日本語でどのように考えればいいのでしょうか?

そのためには、まずは「リベラル」と「アート」というリベラルアーツを構成するふたつの言葉を「知る」ことが重要です。ここから、そのふたつの言葉を「解剖」してみます。

まずは「リベラル」です。

この本の「はじめに」で、リベラルアーツの「リベラル」は、ふつう「自由」と訳されるものの、西洋語の「自由」は、英語では「freedom」と「liberty」というふたつの言葉で表現されていると書きました。まずは、これを理解することからはじめましょう。なぜなら「freedom」と「liberty」というふたつの「自由」の違いがわからなければ、日本語で「自由」と訳されたときに、その意味を読み違えてしまうからです。

ごくかんたんにいえば、

「freedom」は「受動的な自由」

「liberty」は「能動的な自由」

のことです。

たとえば「表現の自由」や「信教の自由」という表現には「freedom」が用いられます。これは、何事にも規制されない、ありのままの状態や、はじめからそこにある自由なので「受動的」なニュアンスになります。

一方、「liberty」の「自由」は、自らがつかみ取る自由なので「能動的」な自由です。アメリカ合衆国のシンボルでもある「自由の女神（The Statue of Liberty）」は、独立戦争によって英国からの独立を果たした同国が「勝ち取った自由」です。だから、はじめからそこにある自由、すなわち「受動的な自由（freedom）」ではなく、抑圧された状態から戦い、つかみ取った自由「能動的な自由（liberty）」でなければならないのです。

日本語での「自由」は、比較的「受動的な自由」のニュアンスでとらえられていることが多いようです。たとえば「自由とは?」という質問に「誰からも干渉されず、自分が気ままに振る舞うこと」「自分が好きな洋服を着て、好きな本を読み、いいたいことをいう自由」という答えが返ってくれば、それらはすべて「freedom」としての「自由」です。

ところで「リベラルアーツ」の「リベラル」は「freedom」の自由ではなく「liberty」の自由、すなわち「自らがつかみとる自由」です。

この「liberty」としての「自由」は、日本人には、あまりピンとこないかもしれません。古代ギリシャの奴隷制度も、新大陸の奴隷貿易も、アメリカ合衆国の黒人奴隷も、西洋が経験した奴隷の歴史に比べれば、日本は奴隷とつながりの薄い歴史しか持っていないからです。

ここからは「自由人とは何か?」という問いとともに「リベラルアーツ」の「リベラル」が、なぜ「freedom」の自由ではなく「liberty」の自由なのか? を考えてみます。

「自由人」とは何か?

『ローマ人の物語』(全一五巻、新潮社)の著者、塩野七生は、『知の教室』(文春文庫)での佐藤優、池内恵との鼎談の中で、英語の「リベラル」に相当する「自由」は、ラテン語では「リベルタス（libertas）」であり、これは、個人の人格の尊重を意味し、古代ローマでは、自分だけでなく他者の自由を守る意思というニュアンスで解釈されていたと述べています。そして「他者を尊重するとは、自分とは信仰が違っても他者の人格を尊重しようという、寛容さこそが自由なのだ。だからこそローマは他人種、他民族、多文化、他宗教という複雑な背景を抱えながらも共生が実現できた」と説くのです。

古代ギリシャに起源をもつリベラルアーツは「自由人が身につけるにふさわしい技法」と説明されることがありますが、ここでいう「リベラル」とは「自由」というよりも、古代ギリシャの階級である「自由人」を指しています。

では、「自由人」とは何でしょうか？

古代ギリシャにおける「自由人」とは「奴隷を所有することが許されている人」のことです。これだけでは何のことかよくわからないと思うので、少し補足します。

古代ギリシャの各都市では、市民による民主政によって国家が運営されていましたが、古代ギリシャの「市民」は、現代の感覚の「市民」ではなく、奴隷を持つことが許された人を意味したのです。つまり、ここでの「自由人」とは政治に参加できる「市民」であり、それがすなわち「奴隷を所有することが許された人」のことです。

古代ギリシャで「奴隷」を意味する一般的な言葉は「ドゥーロス」ですが、これが「自由民（エレウテロス）」の反対語として用いられたように、「自由」という言葉は「奴隷」と表裏一体でもあったのです。

ただ「奴隷」とひとくちにいっても、古代ギリシャの「奴隷」と、のちに登場するアメリカ大陸の「黒人奴隷」では、その身分も扱いもまったく違います。古代ギリシャの奴隷は主に肉体労働や接客業務などに従事し、自由人との結婚も許された、いわば召使いとしての奴隷ですが、アメリカ合衆国などでの強制労働力としての奴隷は、一六世紀からアフリカ大陸の黒人を商品としてアメリカ大陸に運び、鎖につなぎ自由を奪った、まさに家畜としての奴隷です。

西洋の「リベラル」という言葉には、ざっとこのような歴史的な背景があります。つまり「リベラルアーツ」に用いられてきた「リベラル」は基本的に階級用語であり「自由人にふさわしい」という表現は、自由人と奴隷の階級を区別する目的でも用いられたのです。

「自由」とは何か？　奴隷制度の向こうにあるもの

日本語の「自由」は、さきほどもふれたように「何にも束縛されずに、気ままに好きなことをする」という「freedom」の自由が一般的ですが、あらためて西洋の「liberty」としての自由を考えるには、たとえばこんな自分の姿を想像してみるといいと思います。

己の意思や境遇に何の関係もなく、あなたは鎖につながれ朝から晩まで農場で過酷な労働をさせられる。怠けたり逆らったりすれば鞭で打たれ、あらゆる体罰が待っている。あまりの辛さに逃げ出せばすぐにつかまり、まず左耳の半分を切られ、頬に焼き印をされる。それはあなたが逃亡した奴隷であることを皆に知らせるための印。それでも嫌になって再び逃げると、今度は脚の腱を切られて走れないようにされる。それでも屈服せずに逃げると、次は死が待っている。

この地獄絵図のような世界は、どこかの非合法的な闇の世界の話ではありません。きちんと法律で定められた合法的なことでした。農園主は、自分の奴隷をハンマーで殴り殺そうが犬に食わそうがまったく「自由」でした。そしてその「自由」は、奴隷の所有者だけに認められていたのです。これが、一九世紀までのアメリカ合衆国南部の農園で黒人奴隷に対してじっさいに起こっていたことです。

一八〇八年以降は、アフリカから同国内に黒人を連れてくることが禁止されますが、それにより奴隷制度は沈静化するどころか、皮肉にもかえって国内の奴隷売買が活発化します。奴隷牧場のなかで黒人女性に子どもを産ませ、その子を母親から引き離して奴隷として売りさばくという、まさに「人間牧場」です。

「liberty」としての自由の背後には、このように、征服され拘束されるという隷属的な状況から解放されるという意味を含んでいます。「liberty」の「自由」を知るためには、その自由と表裏一体をなす奴隷制度について知ること。そして、アメリカ合衆国という国が、奴隷制度のうえに建国された国家だという歴史を知れば、彼らにとって人種問題がいまだに、いかに根が深いものであるかがわかる。それとともに「自由」という言葉の持つ重みもわかるはずです。

そして、人が人を支配するという構図は同国の奴隷制度だけでなく、西洋史の全体を貫くテーマでもあります。フランスの思想家ジャン＝ジャック・ルソーが『社会契約論』の冒頭に「人間は生まれながらにして自由（liber）であるが、しかしいたるところで鉄鎖につながれている」と書いたように、西洋人にとって「liberty＝自由」とは、鎖につながれた歴史を持つ重い言葉なのです。

「禅」の達人・鈴木大拙の語る「自由」の本質とは？

次に、日本語の「自由」について考えてみましょう。日本語における「自由」の語源をみると、古典漢語や仏教語としての「自由」の歴史は古く、安土桃山時代には、現在の含意とほぼ同じ意味で使われていたという説もありますが、「freedom」や「liberty」という西洋語に「自由」という訳語が与えられたのは、文久二年（一八六二）のこと。幕府のオランダ通辞の頭だった森山多吉郎が、英和対訳辞書に訳語として「自由」と記載したのが最初とされています。

では、翻訳語になるまえの日本語の「自由」は、どのような言葉だったのか。「元来自由という文字は東洋思想の特産物で西洋的考え方にはないのである」というのが、近代日本を代表する仏教学者、鈴木大拙の主張です。

鈴木によれば、西洋思想が日本に導入されたとき、「freedom」や「liberty」に対する訳語が見つからないので学者たちが古典を探し、仏教語の「自由」をそれにあてた。そのため、いまでは「自由」を「freedom」や「liberty」に該当すると決めてしまったが、西洋の「freedom」や「liberty」には自由の義はなく、消極性をもった束縛または牽制から解放するという意味だけである。それは否定性を持っていて東洋的の自由の義とは大いに異なる、というのです。

ここにある「消極性な西洋語の自由」に対し、鈴木は東洋的な自由とは、もっと積極的で、創造的な自由だと語ります。

では、東洋的な「自由」とは何でしょうか？

> 自由はその字のごとく、「自」が主になっている。抑圧も牽制もなにもない、「自《みずか》ら」または「自《おのずか》ら」出てくるので、他から手の出しようのないとの義である。自由には元来政治的意義は少しもない。天地自然の原理そのものが、他から何らの指図もなく、制裁もなく、自《おのずか》ら出るままの働き、これを自由というのである。（略）自由の本質とは何か。これをきわめて卑近な例でいえば、松は竹にならず、竹は松にならずに、各自にその位に住すること、これを松や竹の自由というのである。
>
> （「自由・空・只今」『新編 東洋的な見方』所収、鈴木大拙著、岩波文庫）

この文章のなかで鈴木は「今日、われわれ日本人の中でも、とくに若い人々の中では、『自由』の本来の東洋的意義を知っているものは、一人もない、といい切って可なるべし」

と断言しています。たしかに「松は竹にならず、竹は松にならずに、各自その位に住すること」が自由の本質であるといわれても、すぐにはその真意を理解できませんね。

ほかにも鈴木は「ものがその本来の性分から湧き出るのを自由という」「自由は妙用（不思議な力・作用）である。この妙用がわかるとき、自由の真義がわかる。リバティやフリーダムの中からは、創造の世界は出てこない」などといいますが、これらの言説をていねいに嚙み砕いていけば、そのいわんとすることが少しずつみえてくるようです。

最後にもうひとつ。他の随筆で、鈴木は自分が歩んで来た最後の到達点として「自由」についてこのように書いています。

「自由」とは、自らに存り、自らに由り、自らで考え、自らで行為し、自らで作ることである。そうしてこの「自」は自他などという対象的なものでなく、絶対独立の「自」――「天上天下唯我独尊」の、我であり、独であり、尊である――であることを忘れてはならぬ。これが自分の今まで歩んで来て、最後に到達した地点である。

（「明治の精神と自由」同書所収）

「自由」は「遊」である

ここまで、英語の「freedom」と「liberty」というふたつの「自由」と、日本語の「自由」をみてきましたが、ここであらためて考えてみたいのは、リベラルアーツの「リベラル」を単に「自由」と理解するだけでいいのか？　ということです。

結論からいえば、ぼくは洋の東西をこえたリベラルアーツの精神を考えたときに、「自由」という言葉だけでは、その精神をあらわせないのではないかと考えています。もっと西洋的自由と、東洋的自由のふたつの意味をあわせもつ、広々とした言葉はないものかと探して、たどりついたひとつの語があります。

それが「遊」です。

「遊」という文字には、拘束や隷属から解放されるという西洋的な自由とともに、自らで考え、行動し、境界をこえていくという東洋的な自由も含まれています。漢文学者の白川静によれば、「遊」という字は、もとは神があそぶこと、神が自由に行動するという意味でしたが、それがのちに人が興のおもむくままに行動して楽しむという意味に用いられるようになったそうです。つまり、神の遊びを人間が真似たわけですね。

それに、世界を読み解こうとした古代人たちの叡智というべき、古代ギリシャの「四科」や、古代中国の「六芸」の背後には、真摯な思索だけでなく、まるで子どもが遊びながら世界に向きあい、その謎に挑む純真さと冒険心という「遊び心」を感じるのです。

それからもうひとつ。ぼくが**「遊」に魅力を感じるのは、学問の「学」からも自由であることです。学問としての「学」は厳格な公準のもとに成立するものですが、「遊」には客観的な公準は必要ありません。むしろ客観性を超えていくところに、そのおもしろさがあります。リベラルアーツは学問ではない。これは、強く主張したいこと**です。

「自由」という言葉に、ぼくがかえって不自由さを感じるのは、それが日本の政党名にも用いられてきたように、政治や権力と結びついた性質や、国家や権力の奴隷として鎖につながれた歴史までをも西洋語から受け継ぎ、既存の意味に縛られる一方で、もともとの自由がもつ「自由闊達」な精神から離れて、まるで「わがまま」がまかりとおるように、あまりにも野放図に使い古された俗な臭いが染み付いてしまったところにもあります。

それに比べて「遊」には「自由」の色にも染まらず、「自由」をも超えて、風のままにどこへでも飛んでいくような軽妙さがあります。

以上の理由から、もし「リベラルアーツ」の「リベラル」に新しい訳語をあてるとすれば、それは「自由」ではなく「遊」がふさわしいのではないか、とぼくは考えます。

第五章 「リベラル」と「アート」を解剖する②
——アート編

「アート」とは何か?

次に「アート」について考えてみましょう。

まず注意しておきたいのは、ここで「アート」を、たんに「芸術」と訳してしまうと、いま日本語で浸透している「芸術」という言葉のイメージによって、「アート」本来の意味がみえにくくなってしまうということです。

「アート」という言葉は、現代の日本では一般的に、美術、彫刻、音楽などの、いわゆる「ファイン・アート（fine art）」というごく限られた意味で用いられますが、「アート」の語源はラテン語の「アルス（ars＝技芸・方法）」で、もともとは仕事・職業に必要な技術全般を意味する言葉です。絵画の描き方だけでなく、建築も医療も交易もアートだったように、その意味する範囲は、じつに膨大です。

西洋における「アート」とは「人間がつくること」「人間がつくるもの」の全体に及び、キリスト教的価値観のもとでは「人間がつくったものすべて」を指します。日本語に置き換えれば「人の手になるもの＝人工」が「アート」本来の意味です。

つまり、人間がつくりだしたものすべてが「アート」に含まれるという考え方ですが、それを理解するためには、西洋的な価値観の根底にあるキリスト教的な宗教観のなかでの「神」と「人間」の関係をおさえておく必要があります。

キリスト教的な宗教観では、この宇宙を含む森羅万象すべてが、神による創造物ということになっています。これは、日本古来の神道的な宗教観とは大きく異なるところです。

すなわち「**世界を神がつくった**」のが、キリスト教的な宗教観なのに対し、日本の神道的宗教観では「**世界が神をつくった**」となるのです。

このわずかにみえる違いは、キリスト教的な神が「**宇宙の外にいる超越的な存在**」であるのに対し、神道的な神は「**自然のなかにいる内包的な神**」となり、これが、じつは両者の宇宙・自然観や、文化・文明的な価値観の基盤となるとても大きな違いなのですが、ここでは両者の比較にはあえてふみこまずに、キリスト教的世界観のなかで「アート」という概念がどのように形成されていったのかを、ざっとたどってみます。

神の創造物としての森羅万象と人間のアート

旧約聖書の冒頭にある『創世記』には、「はじめに神は天と地とを創造された」と書かれていて、『イザヤ書』には「わたしははじめであり、終わりである。わたしをおいて神はない」とあります。この言葉に、絶対者としての唯一の「神」が示されています。

森羅万象を神が創造した。これは「この世に存在するありとあらゆるもの」であり、そこには、地球や自然、人と動物、植物はもちろん、時間までもが含まれます。これらすべてが神による創造物であり、神の所有物でもあるというのが、キリスト教的宗教観の根底にあります。ここに、彼らの価値観を読み解く鍵があります。

キリスト教徒は、かつて貸し金業に従事することを禁止されていました。その代わりに、ユダヤの商人たちが貸し金業を行い、金融の世界で躍進していく歴史はよく知られていますが、これはなぜでしょうか?

理由は、キリスト教的価値観では、神の所有物である時間を人間が勝手に使って儲ける行為を禁止したからです。儲ける行為そのものではなく、神に属する時間を売って儲けることが禁止されたのです。

フランスの歴史学者ジャック・ル・ゴフは、このように述べています。

商人は、同一の商取引に関して、直ちに精算できない人間から、直ちに精算できる者が支払うよりも多くを払ってもらうことができるか。論証された答えは〈否〉である。なぜなら、〈そうすることによって商人は時を売っていることになり、彼に属さないものを売ること〉は、高利貸の罪を犯すことになるからである

（『もうひとつの中世のために』ジャック・ル・ゴフ著、加納修訳、白水社）

さらに、キリスト教的価値観がよくあらわれているものに「自然観」があります。日本語で「自然」といえば、山や海、草原や湖などを意味しますが、キリスト教的な自然は「神がつくったものすべて」です。ここで注意したいのは「生物としての人間」も自然に含まれるということです。

その「自然」の反意語として登場してくるのが「アート」です。つまり、人間が生きていくためにつくり、生み出したものという意味です。すなわち「自然」とは「人の手が加えられていないもの」であり、そこから道具や衣服や建造物など人間がつくったものすべてが「アート」であるという考えです。

かんたんにまとめてみると、こうなります。

神に属するもの　森羅万象、時間、自然現象、人間など、この宇宙にあるものすべて

人間に属するもの　道具、衣類、住居など、人が生きるために、自らつくったもの

この「**人間に属するもの**」**が、もっとも広義の「アート」**になります。

「アート」はいつから「芸術」になったのか？

かつての「アーティスト」は、人間ならではの「わざを駆使する人」のことで、現代で理解されているような「芸術家（ファイン・アートに従事する人）」というよりも、もっと幅広い意味での「職人」のことでした。

それでは、いつから「アーティスト」が、現代的な意味での「芸術家」と呼ばれることになったのでしょうか？

結論からいえば、一八世紀から一九世紀にかけて。それまで絵を描いたり、曲を書いたりしていた「職人」が「芸術家」と呼ばれるようになり、描かれていた絵画や、作曲された曲は「芸術作品」となっていきます。いいかえれば、それまでの絵画や音楽は「芸術ではなかった」ことになります。西洋美術史でいえば、レオナルド・ダ・ヴィンチもルーベンスも、西洋音楽史では、バッハもハイドンもモーツァルトも「芸術家」ではなかった。彼らは、現代的な意味での「芸術家」として自らを意識していなかったからです。

西欧の中世から現代にいたる「ファイン・アート」としての「芸術」の歴史は「神の作品」が「人間の作品」となり、ついには「巨匠の作品」となっていく歴史でもあります。「啓蒙主義」という思想が現れるまで、西欧では「人間の精神は何も創造できない」と考えられていました。中世のキリスト教社会では「創造」は神の属性であり、人間の属性ではないと考えられていたのです。

たとえば、ある作曲家が曲を書いたとします。それは、神の恵みが自分を媒介して現れたものであり、人間が創造したわけではない。創造とは「神の手」によってなされるもので、人は媒介者にすぎない。このような考えは、ある意味では教会の権威を高めることにもつながったわけです。

それが変化するひとつのきっかけは、イタリア半島で起こったルネサンスでした。かつては文芸復興と呼ばれたルネサンスですが、ひとことでいえば「神の視点」から「人間の視点」への劇的な変化のこと。つまり、世界の見方が大きく変わったのです。

その象徴として、ルネサンス期に誕生した表現技法のひとつ「遠近法」があります。

「遠近法」は、ごくかんたんにいえば、近くのものは大きく遠くのものは小さく描く画法ですが、これは「人間の眼からみて世界はどうみえるか」に忠実な画法にほかなりません。

この時代を経て、はじめて「芸術作品」は「神の作品」から「人間の作品」になっていきます。それまで、作曲者の名前など記載されていなかった音楽が「○○の作品」という作曲者とともに「作品（opus）」として残ることになっていくのです。バロック期に誕生した「オペラ」は、もともとは「作品」という意味です。

そして、近代の啓蒙主義が目指したのは、人間を神に代わる創造者の地位に高めることでもありました。「神の作品」から「人間の作品」にいたる歴史。それまで社会の規範や権力の源でもあった教会の権威の衰えとともに、「王権」など人間の権威が高まり、それが「芸術」の誕生につながっていく。そして「人間の作品」から「巨匠の作品」になる過程で、芸術家は、まるで「神」のように崇拝される存在となっていきます。

中世のキリスト教社会で何よりも価値があると考えられたのが、キリストの「聖遺物」だったように、現代では「芸術作品」がそれに該当します。ダ・ヴィンチの「モナリザ」や、ベートーヴェンの交響曲など値段を付けられない「アート」作品は、何もかもを貨幣価値に置き換える資本主義社会にあっては、まさに最強の価値に値するのです。

学問としての「アート」と「サイエンス」

このような西洋の「アート」の伝統は、西洋の学問体系としての「アート」にも残っています。英語圏での学問体系におけるアートが、別名「Humanities（ヒューマニティーズ）」と呼ばれるのは「アートは人間がつくったものの総称」というキリスト教的な価値観がその根底にあるからです。つまり、人間がつくったものを学び、研究することが西洋の学問としての「アート（＝ヒューマニティーズ）」であり、大学や大学院での学位となるわけです。科目では、文学、歴史、地理、哲学、美術、建築、音楽などです。

一方、神がつくった領域を学ぶ分野が「サイエンス（science）」です。この世にある人間がつくったものを除くすべてを学び、研究することが「サイエンス」で、その目的は神がつくった世界（＝自然界）を貫く法則を見つけること。

サイエンスには「自然科学」と「社会科学」という大きくふたつの分類があります。

「自然科学（natural science）」は、自然を対象とする科学。

「社会科学（social science）」は、（自然界の一部である）人間社会を対象とする科学。

その他の分類には、医学などの「アプライド・サイエンス（applied science）」と、数学などの「フォーマル・サイエンス（formal science）」があります。

これをみると「サイエンス」をたんに「科学」や「理科」と訳すだけでは、その膨大な範囲を理解できないことがわかります。それに、いっけん合理的にみえる西欧の教育カリキュラムにも、「神」と「人間」という宗教観がその根底にあることがわかります。

西洋の「サイエンス」を理解するためには、西洋的な自然観（自然とは神がつくったものであり、神がつくった人間も自然に含まれ、人間は神から自然の管理を任されている）がその根底にあるために、自然が人間より下位にある、つまり、**人間が自然を支配しているという考え方に結びつきやすい**ことに注意しておく必要があります。この考えは、**つねに自然の脅威にさらされ、自然に活かされ、自然のなかに神が宿るという神道的な宗教観をもつ古来の日本人的な自然観とは、大きく異なっている**からです。

日本人的な自然観では、とても自然を人間より下位におくことはできません。その価値観を抱いたまま、明治以降の日本では、自然を人間が支配するものと考える西洋型の教育カリキュラムが、あまりにも拙速に導入されてきたのです。

こうして確立された「文系」と「理系」という日本独特の学問上の区分が、たんなる教育制度の問題だけでなく、日本人の自然観・価値観を歪ませ、社会の構造的な歪みを生じさせた要因である、と指摘することもできるのではないでしょうか。日本型の教育カリキュラムは、いわば日本古来の「心」と、西洋の衣服を着た「身体」に引き裂かれた状態ともいえるのです。

「文系」と「理系」をつなぐ「知と遊の体系」としてのリベラルアーツ

なぜ「文系」と「理系」が分かれたのか？　そもそも、それら諸学はひとつなのではないか？　この疑問に『文系と理系はなぜ分かれたのか』（星海社新書）の著者、隠岐《おき》さや香は、「確かに、『人文社会』と『理工医』の二つに分ける区別は絶対ではない。しかし、諸学は一つとも言えない。そこには少なくとも、二つの違う立場が存在するのではないか」として、次のように説明しています。

ひとつは「『神の似姿である人間を世界の中心とみなす自然観』から距離を取るという方向性」。これは客観的に物事をとらえるために、人間の五感や感情からなるべく距離を置き、器具や数学、万人が共有できる形式的な論理を使うことで可能になる学問です。この方向性によって、地球が宇宙の中心でないことや、人間型の動物に対して特別な存在でもないという自然観がもたらされたというのです。これは、理工系の考え方です。

もうひとつは「神（と王）を中心とする世界秩序から離れ、人間中心の世界秩序を追い求める」という方向性。これは神や教会など天上の権威に判断の根拠を求めるのではなく、人間の基準で物事の良し悪しをとらえ、人間の力で主体的に状況を変えようとします。この方向性によって、たとえば階級制度を神が定めたものと受け入れるのではなく、対等な人間同士が社会のなかでどう振る舞うかを探ったり、人間にとっての価値や意味を考えたりする諸分野が生まれたといいます。これは、人文社会系の考え方です。

このふたつの考え方は大きく異なっているものの、だからこそ理工系と人文社会系は、異なるふたつの視点からの学問分野という意味で、両方が必要であるというのです。

そして、ここで「文系」と「理系」というふたつの学問領域をつなぐものとしての「リベラルアーツ」の重要性と存在価値が、がぜんきわだってきます。

なぜ、リベラルアーツにはそれができるのか?

理由は、数学知、技術知、哲学知、芸術知、文芸知など、文系、理系を超えた膨大な領域を包括し、しかも「学」からも自由であるというリベラルアーツならではの自在さにあります。つまり、学問としての厳格な公準を必要とする「学」の拘束から自由であり、学と遊をつなぐことができる「知と遊の体系＝リベラルアーツ」だからこそ、学問の領域を超えて自由に飛びまわることができるのです。

リベラルアーツが、厳格さにこだわるあまりに硬直した現代の教育制度を打破し、未来の学問概念を変える大きな可能性を秘めているとぼくが考えるのは、この理由からです。

「アート」は「わざ」である

第四章の終わりに、洋の東西を超えたリベラルアーツの精神は「自由」という言葉だけでは表現できないのではないかという疑問から、「自由」を「遊」と訳すべきではないかと提案しました。

では「アート」についてはどうでしょうか？

ここまで西洋の「アート」が、キリスト教的な神と人間の関係から生み出されたことをみてきましたが、日本では、江戸時代まで「わざ」という文系と理系の領域を超えた、まさにリベラルアーツを体現するような言葉がふつうに用いられていたことを思い返してみると、「アート」の訳語としてふさわしい日本語は「わざ」という言葉以外にはないのではないかと思えてきます。

第三章では、西洋から導入された工業技術の「術《わざ》」を、それまでの日本由来の「わざ」と区別するために「技術」と「芸術」という訳語が提唱されたことにふれましたが、西洋語の「アート」がこのふたつの訳語に収まるまで、日本語では「わざ」というひとつの言葉に集約されていたことを思えば、「技」「芸」「術」という幅広い領域におよぶ「アート」という概念は、「わざ」という一言で表現するのがふさわしいのではないか。

「ファイン・アート」という「アート」の領域のなかでも美術、彫刻、音楽などごく限られた領域だけに偏って用いられるようになった「アート」は、これまでみてきたように、西洋にとってだけでなく、日本にとっても、もっと幅広く人間が生み出してきたありとあらゆる「わざ」を表すための言葉であったはずです。それをうけて、ぼくは「アート」の訳語として「わざ」という日本語を選びたいと思います。

そして「リベラル」を「遊」と訳したこととあわせれば「リベラルアーツ」は「遊ぶためのわざ」となります。

リベラルアーツは、遊ぶためのわざである。

これが、リベラルアーツを日本語で考えるために、ぼくが導き出した結論です。ここまで読んでくれた新世代の君たちは、これをどう思いますか?

第二部　リベラルアーツを遊ぶ

第六章 「遊ぶためのわざ」とは何か？

「遊ぶ人」だけが「賢者」になれる？

リベラルアーツが、遊ぶためのわざ？ たとえひとつの仮説にすぎないとはいえ、リベラルアーツを「教養」や「教育」という言葉でイメージしている人には、とうてい受け入れがたいことでしょう。異論や反論も当然だと思います。

ただ、ここであらためて『ホモ・ルーデンス』でホイジンガが主張したことを思い起こしてみたいのです。人間を「ホモ・サピエンス（知の人）」という側面だけでとらえるのは不十分で、人間の本質には「遊び」があること。文化的な豊かさは「遊びの精神」と密接なつながりがあること。これらを吟味すれば「ホモ・ルーデンス（遊の人）」こそが、リベラルアーツ精神の体現者であるという考えには、深い意味があるように思えてきます。

ここでふと思い出したのが、日本でもっとも有名なＲＰＧ「ドラゴンクエスト」です。

このゲームに登場するさまざまな職業キャラクターのなかで、誰もが憧れる「賢者」になるためには、ふつう「悟りの書」という貴重なアイテムを入手しなければならないのに、なぜか「遊び人」という職業（？）を選ぶと、そのアイテムなしでもレベルアップを重ねると自然に「賢者」になれるというのです。ふだんは何の役にも立たずにみんなの邪魔ばかりしている「遊び人」が、仲間の危機に突如「賢者」に成長してみんなを助ける。ゲームの世界とはいえ、とてもよく考えられたキャラクター設定だと感心します。

たしかに「賢者」や「仙人」というイメージには、世を捨てて深い森に住み、自然と自在に遊びながら生きるという風情があります。「遊ぶ」とは、人が憧れてやまなかった神の世界に近づき、神の世界にふれることでもあるからです。

漢文学者の白川静は「遊ぶ」ことについて、こう書いています。

遊ぶものは、神である。神のみが、遊ぶことができた。遊は絶対の自由と、ゆたかな創造の世界である。それは神の世界に外ならない。この神の世界にかかわるとき、人もともに遊ぶことができた。神とともにというよりも、神によりてというべきかも知れない。

（「遊字論」白川静著、『遊』一九七八年一二月号所収、工作舎）

「ホモ・ルーデンス（遊の人）」としての一遍上人

「遊の人」という言葉で、ぼくがいつも思い浮かべるひとりの人物がいます。
鎌倉時代の僧侶、一遍上人《いっぺんしょうにん》です。

一遍といえば「踊り念仏」が有名ですが、その踊りは生やさしいものではありません。「踊躍《ようやく》」という言葉のとおり、激しく動き、跳ね上がって踊るのです。ぴょんぴょんと飛び、跳ね回り、老いも若きも、男も女も、狂ったように全身でよろこびをあらわす。それを一晩中どころか、何日も食うや食わずでただひたすら飛び跳ね、踊り踊る。
「念仏は心を静めるために称えるもので、それを飛び跳ね踊りながら称えるとは何たることか！」と痛烈に批判されたこともありました。

一遍はこう答えます。

はねばはねよ　をどらばをどれ　はるこまの　のりのみちをば　しる人ぞしる

跳ねたければ跳ねればいい。踊りたければ踊ればいい。春駒（春、若草を求めて野に遊ぶ馬）のように。そのうちには、仏の教えも自然に身につくだろう。このような意味です。

なぜ、一遍は「踊り念仏」というふざけて遊んでいるとしか思われないような方法で念仏を称え、人々を救おうとしたのか？　その背後には、家も土地も財産も衣食も家族までも、ありとあらゆるものを捨てて生きた「捨聖《すてひじり》」としての壮絶な生涯があったのです。

何もかもを捨てて自由になる「捨聖」としての一遍上人

一遍は、延応《えんおう》元年（一二三九）、伊予国《いよのくに》道後（愛媛県松山市）の没落豪族の家系である伊予河野《こうの》家に生まれました。幼くして母を失い、一〇歳で出家。仏の道に入りますが、父の死によって環俗《げんぞく》（俗人に戻ること）して故郷に帰り、結婚して娘をもうけます。娘と遊ぶ姿が記録に残るなど仲睦まじい家庭だったようです。

ところが、一族の所領争いに巻き込まれ、助けあうべき一族が欲望のために殺しあい、家や財産を奪いあうような人間の欲望のおそろしさに絶望し、再び出家します。欲望はかぎりなく人をさいなむ。これこそが無間《むけん》地獄（絶え間ない苦しみを受ける地獄）ではないか。このような苦しみから人々を救うことが宗教の役割ではないか。一遍は苦悶し、考え、ひとつの境地に達します。それを、一遍はこう語ります。

我体を捨て南無阿弥陀仏と独一《どくいつ》なるを一心不乱といふなり。されば念々の称名は念仏が念仏を申《もうす》なり。

(『一遍上人語録』大橋俊雄校注、岩波文庫)

この一文について、歴史学者の今井雅晴は、このように解説しています。

「一心不乱に念仏を称えよとか、一心不乱に阿弥陀仏を拝めとか(略)極楽往生するためには、とにかく一心不乱に、他のことには目もくれずに修行しなさい。そうすればやがて往生できますと言われていますね。いままでの僧侶たちや貴族たちはそのように教えられてきました。(略)でもそれは違います。『一心不乱』という言葉の使い方が違っています」。一遍はそのように従来の教えを批判しました。(略)「独一」というのは、一遍の独特のことばです。自分と「南無阿弥陀仏」とが一緒になり、なおかつ自分というものがその中で残っている、というのではないのです。まったく一つになってしまって、自分という存在はあとかたもなくなっている。それが「独一」です。

（『一遍』今井雅晴、創元社）

一遍はこうも語っています。「心の外に境を置《おき》て、念をおこすを迷《まよい》というなり。境を滅して独一なる本分の心は妄念なし。（こころの外に意識上の別の世界を作り、そこでいろいろと勝手な思いをすることを迷いといいます。その世界を壊し、『南無阿弥陀仏』と一つになるこころの本来のあり方に戻れば、そこにはこころを迷わせる悩みはないのです。）」（同書）

そして一遍は、家も、土地も、財産も、衣類も、家族も、すべてを投げ捨てて「遊行」と称して日本諸国を歩いて回り、念仏を称えながら踊り、死んでいくのです。

彼の有名な言葉に「衣食住の三《みつ》は三悪道なり」があります。「衣装を求めかざるは畜生道の業《ごう》なり。食物《じきもつ》を貪求《とんぐ》するは餓鬼道の業なり。住所をかまへるは地極道の業なり」というものです。前掲書では、こう訳されています。

「衣食住の三つは、迷いの世界に堕ちる原因となります。美しい着物を欲しがって身を飾るのは、畜生の世界に堕ちる原因となります。食物をむやみやたらと欲しがるのは、餓鬼の世界へ落ちる原因となります。家を持つのは地獄の世界に堕ちる原因となります。
現代人の「断捨離」が吹き飛んでしまうほど凄まじい覚悟ですが、さらにすごいのは、その「捨てるというこころ」までをも捨ててしまえ！　というところです。

身をすつるすつる心をすてつれば
おもひなき世にすみぞめの袖

（『一遍聖絵 聖戒編』第五巻第三段、大橋俊雄校注、岩波文庫）

この句の意味はこうです。自分の身を捨てて、その捨てるという心までをも捨ててしまえば、もうこの世に未練はない。ただ（僧侶が着る）墨染めの袖（衣）だけだ。
ただ踊り狂い、ふざけて遊んでいるだけにみえる一遍の「踊り念仏」が誕生した背景には、ここまでの壮絶な覚悟と、それを支えた精神があったのです。

一遍に学ぶ「遊ぶためのわざ」とは？

「本来無一物なれば、諸事において実有我物《じつうがもつ》のおもひをなすべからず。一切を舎離《しやり》すべし」（本来は何も持っていないのだから、さまざまなものを自分の所有物とは思わずに一切を捨て、その思いから離れるべきだ）。

「捨聖」としての一遍の人生哲学は、この言葉にもあらわれています。

何を悩むことがあろうか。たったひとり。それがわたしたち本来の姿ではないか。人は、世の中の執着心や欲望のなかで、たったひとり孤独に生まれ、ひとり孤独のうちにただ死ぬ。そこを出発点にして人生を考えようではないか。そこに仏教の悟りの原点があるのだ。

そこには「わたしたちは誰もが生まれるときには何も持たず、死ぬときにも何も持ってはいけないのだ」という清々しいまでの一遍の想いがあります。

おのづから相あふ時もわかれてもひとりはいつもひとりなりけり

（『一遍上人語録』より）

つねに死と向きあうこと。生きるとは孤独とは何かを知ることであり、孤独に生き、孤独に死ぬということでもある。この句からは、このような一遍の覚悟が伝わってきます。

では、現代のぼくたちが「人生を遊ぶ達人」である一遍に学ぶことは何でしょうか？

それは「自由に生きるとはどういうことか」という一言に尽きるのではないかと思います。

そして、その自由を得るために、どれほどの覚悟と精神が必要かということ。

ほんとうの「自由」を手に入れることは、死と向きあい生きること。それは、孤独に生き、孤独に死ぬという先に引用した句からも読み解くことができます。

とかく現代では「自由」といえば**「自分のやりたいことをやる」ことと考えられがち**ですが、**自由とはそのようなものではない。「自分のなりたい人になる」「自分のやるべきこと」をやり「自分のなるべき人」になることこそが、ほんとうの自由である。**これを、見事なまでに貫きとおしたのが、一遍の生涯といえます。

一遍は「南無阿弥陀仏」という念仏を広めるという「自分がやるべきこと」だけに生涯を捧げ、「自分のなるべき人」になるために、家も財産も家族も、何もかもを捨てた。そこまでしなければ、自分は人々を救うことはできないと彼は悟ったのです。

一遍の「踊り念仏」は、彼の究極の「遊ぶためのわざ」といえるのかもしれません。ただ一心不乱に踊り、人々とともに念仏を称えて仏と一体になる。ぴょんぴょん跳ねて、すべての迷いのもとになる欲望すら振り払う。そして残ったものこそ、ほんとうの「自由」と呼ぶべきものなのではないでしょうか。

遊びをせむとや生まれけむ　戯《たはぶ》れむとや生まれけむ
（『梁塵秘抄』三五九番　歌謡の一節より）

遊ぶために生まれてきたのか？　それとも、戯れるために生まれてきたのか？

これは有名な『梁塵秘抄《りょうじんひしょう》』のなかの一首です。老境にさしかかった人物が、子どもの無心に遊ぶ姿に引き込まれて詠んだ歌とされますが、ぼくはなぜかこの歌に、踊り念仏に生きた一遍の純心な姿が重なってみえてくるような気がします。

「人は何のために生まれてきたのか？」という人間の根源にかかわる問いに、一遍が、踊り跳ねながら笑ってこたえているように思われるのです。

宇宙とは「遊び」である

「遊び」は、人間の生命や創造、儀式、芸術、文化、政治、スポーツ、文明などあらゆる領域をつらぬくとても深い言葉です。

アメリカの音楽家スティーヴン・ナハマノヴィッチの著書『フリープレイ』は、芸術と人生を「インプロヴィゼーション（即興）」としてとらえた「遊び」を考えるうえでも示唆に富む本ですが、このなかで、彼は「遊びの定義」について、次のように書いています。

遊びを定義づけることはできません。なぜなら遊びにおいては、すべての定義はすり抜け、踊り動き、何かと結びつき、分離し、再結合するからです。遊びの雰囲気はちゃめっ気たっぷりでもあり得ますし、最高に荘厳でもあり得ます。もっとも大変な労働でも、楽しい作業精神からおこなわれたなら、それは遊びとなります。

（『フリープレイ』スティーヴン・ナハマノヴィッチ著、若尾裕訳、フィルムアート社）

「遊びはすばらしい」とぼくが感じるのは、まさにこの言葉にあるように「定義」を許さないところにあります。「遊び」は定義されることからさえもすり抜けてしまう。そして、ぼくたちが学問とか芸術とか呼ぶもののあいだを飛び回る。とにかく、自由なのです。

それは、リベラルアーツを定義しようとしても、うまくいかないことと同じです。

さらに、ぼくたちが「創造」や「宇宙」と呼んでいるものも「遊び」につながっています。同書によれば、古代サンスクリット語の「リラ（lila）」という言葉は、英語の「プレイ（play）」よりもっと幅広く、神のプレイ、つまり創造、破壊、再創造、宇宙の拡張と縮小のプレイまでをも意味しているそうです。

こうしてみると、「はじめに」でも紹介した「遊びは文化よりも古い」というホイジンガの主張が、あらためて重く感じられますが、「遊び」を表す「ルードゥス（ludus）」というラテン語には、「遊び」や「娯楽」のほかにも次のような意味が含まれています。「戯れ」「催し物」「学校」。つまり、**リベラルアーツを「遊ぶためのわざ」ととらえる視点からみれば、学校も「遊ぶための場」**なのです。

第七章　いかに人生を遊びつづけるか①

――江戸に遊ぶ編

「遊び心」が足りない現代社会

いまの日本社会には「遊び」が足りない。人も街も遊んでいない。ぼくにはそう感じられます。これはゲームや娯楽としての「遊び」を指しているわけではないことは、すでにおことわりするまでもないと思いますが、効率とか、合理主義とか、管理社会とか、そのような言葉ばかりが行き交い、世のなかの余白や潤いにつながる「遊び心」がないといいたいのです。

たしかに日々の生活はつらく、社会を取り巻く環境はますます厳しさを増しています。といっても、それは昔もいまも変わらない。というよりも、昔はいまよりもっと過酷な環境だったはずです。それでも、たとえば「人生って何？」という問いへの答えとして、このようにさらりと答えられる大人が、いまの日本にどれだけいるでしょうか？

所詮《しょせん》人生、死ぬまでの暇つぶし

（『落語とは、俺である。』立川《たてかわ》談志著、竹書房）

少なくとも昔の日本には、このように人生を笑いに変えたり、人を笑って許せたりするような「遊び心」を持った粋な大人が、もっとたくさんいたはずです。キレる老人とか、ネットであらゆるものに罵詈雑言を浴びせかける大人が跋扈《ばっこ》するような、そんな偏狭で不寛容で窮屈な社会ではなかったような気がします。

たんに「昔はよかった」的な話をしたいわけではありません。**社会全体から「遊び」が失われてしまったという現代の大問題も、じつは、リベラルアーツという「遊びつづけるためのわざ」を身につけることで改善できる**といいたいのです。

この章では、まさに人生を遊ぶことで生きていた、江戸時代の人々に学びながら「遊ぶ」ことがなぜ生きるに値する未来をつくることにつながるのか？　を考えてみたいと思います。

江戸時代に「遊ぶ人生」の極意をみる

遊びの達人といえば、なんといっても江戸時代の人々です。ためしに江戸の町を「遊び」の視点から眺めてみると、徳川家康が江戸を拡張・整備しはじめて、江戸に「遊び場」ができるのが一七世紀前半。そこから「遊ぶまち＝江戸」が徐々に姿を現していきます。遊びの最初の主人公は武士たち。それが町人、庶民へと広がっていきます。その「遊び」の主たるものは、歌舞伎などの興行や遊郭などでしたが、風紀上の理由で幕府から禁止令が出されても何のその。禁止されればされるほど庶民の遊び心は高まっていくばかりでした。

そして、いわゆる「江戸っ子」が誕生するのが一八世紀後半。過激に盛り上がる江戸の祭りや、舟遊びに花火、物見遊山《ものみゆさん》と呼ばれる行楽、見物などが大流行して、将軍すら庶民の遊びに憧れたほどだったといいます。

では、江戸の町は、それほど自由で庶民が遊び呆けられるほど豊かだったのかといえば、むしろ逆です。ある意味では江戸時代ほど締め付けや取り締まりが厳しく不自由な時代はなかった。それに、ほとんどの庶民はその日暮らし。江戸っ子の有名なセリフ「宵越しの銭を持たねえ」も、ほんとうは宵越しの銭を持てないほど江戸庶民たちはとにかく金がなかった。現代からみると、ほんとうに貧しかった。けれども、だからこそ彼らは、その貧しさを遊びに変えるための創意と工夫によって、人生そのものを遊んでいたのです。

「江戸は二百六十年の間、ほとんど、何もなかったスカスカの時代」と語るのは、漫画家・作家で江戸風俗研究家の杉浦日向子《すぎうらひなこ》です。彼女は、江戸人とは「無名の人々の群です。このような人生を語らず、自我を求めず、出世を望まない暮らし振り、いま、生きているから、とりあえず死ぬまで生きるのだ、という心意気に強く共鳴します」と語ります。

何の為に生きるのかとか、どこから来てどこへ行くのかなどという果てしのない問いは、ごはんをまずくさせます。まず、今生きているから生きる。食べて糞して寝て起きて、死ぬまで生きるのだ。こう言われれば気が楽になります。何か、大きなものに、ゆるされたような、胸の内がほんわりとあたたかくなるような、やさしい気持ちがします。現代人はナカナカこういったことを言ってはくれません。たいそうらしい「理由」が答えられなければ、存在さえも否定されかねない性急さで、ごはんのまずくなる問いをたたみかけます。

（「スカスカの江戸」『うつくしく、やさしく、おろかなり』所収、杉浦日向子著、筑摩書房）

その杉浦は、「江戸っ子と遊びについて」というエッセイで、ひときわ江戸らしい遊びとして「枯れ野見」を紹介しています。「雪でも、月でも、ましてや花でもない。冬の、一面に枯れた、何もない野っ原を、わざわざ見る為に出掛けて行くのである」(同書)。これこそは、まさに貧しさを遊びに変える江戸庶民の本領発揮ともいうべき遊びではないでしょうか。「どこまで楽しめるかは、遊ぶ人の才量次第だ。どんな場面からでも『旨味』を引き出す。ただ見ているだけじゃない。同じ風景を見ても、人より丹念に味わおうとするのが、江戸っ子の大好きな『一句捻る』遊びでもある」(同書)。

この文を読みながら、ぼくは葛飾北斎の浮世絵を思い浮かべました。ひとつの風景のなかにある驚くほど斬新な構図や躍動感、それにリズム。そこには、同じ風景のなかに、いかに旨みを引き出せるかという江戸っ子の遊び心とともに「人生、死ぬまでの暇つぶし」とさらりといい切れる、あっぱれな人生哲学までもが描かれているのです。

科学を「遊び」に変える「江戸テクノロジー」

ぼくが最初に江戸文化のすばらしさを知ったのは、フランスに住んでいた若い頃でした。

しかも、あるフランス人の浮世絵コレクターから、滔々《とうとう》と江戸文化・芸術のレクチャーを受けたのです。日本人として何も知らないことが恥ずかしく、それでも貴族の末裔《まつえい》であったフランス人が自分の住む洋館の部屋に畳を敷き、茶を飲みながら、キモノを着て日本の浮世絵や工芸品を愛でる姿は、日本人として誇らしくもありました。

そして、かのゴッホやドビュッシーなど当代一流の西欧芸術家たちを驚愕させた、いわゆる江戸文化・芸術の一大ムーブメント「ジャポニズム」の熱狂がフランスだけでなく、いかに広く西欧全体に及んでいたかを知るにつけ、明治時代以降、西欧にひたすら憧れつづけた日本人が、逆に西欧人から憧れられた江戸文化とは何だったのかを考えるようになりました。

その江戸時代は、本来ならば実用的な科学技術になるべきことを「遊び」などの形に発散させてしまったと語るのは『大江戸テクノロジー事情』（講談社）の著者、石川英輔です。

この本には、暦、数学、天文学、火薬などの科学や技術が、江戸時代に、どう活用されたかが列記されていますが、とても興味深いのは、**江戸の人々にとっては、科学や技術が「遊び心」に直結していた**ことです。

たとえば、ヨーロッパの数学者と日本の数学者の根本的な違いは、数学に対する根本的な考え方の違いにあると、著者は指摘しています。つまり、数学を応用して何かを生み出すという実用性ではなく、日本の数学者が数学を勉強したのは、たんにおもしろくて好きだったから。強いて理屈をつけるなら、中国式の教養の基礎である「六芸」のひとつであり、人格を高めるのが最終目的だったとか。つまり、「芸＝遊び」としての数学です。

それから、もうひとつ。西洋ではもっぱら破壊するための爆薬や、人や獣を殺戮《さつりく》する武器として使用されてきた火薬があります。戦国時代末期の日本は、世界のどこよりも「鉄砲」を持っていた軍事国家だったにもかかわらず、それが江戸時代になると、がらりと一転します。武器となるべき火薬の技術を、花火という遊び道具をつくるための技術に変えてしまったのです。この江戸の人々の考えは、第一部でみてきたリベラルアーツの精神につながっていると思いませんか？

江戸の「遊び心」と科学技術・経済

なぜ、彼らは科学や技術を実用ではなく「遊び」に変えてしまったのか？

「かなり意図的にしていたのではないか」というのが、著者である石川の見解です。たとえば寛政の改革のとき、老中松平定信が世の中をよくするアイデアを求め、大坂の中井竹《ちく》山《ざん》という儒者が「馬車を使えば、旅行もずっと効率が良くなる」と提案したのに、そんなことをすれば馬方や駕籠《かご》舁《か》き、水夫などが大勢失業して社会が混乱するという理由で、提案は却下されたそうです。

効率至上主義の現代からは考えられないような決断ですが、定信は効率よりも社会の安定を重視しました。「昔の日本人は、本質的に科学的なことが嫌いなのだと思っていましたが、どうもわざと抑制していたとしか思えない面も多い」。その理由はこうです。「何かまずいことをすると、すぐに自分の身にはね返って来る程度の、ごく狭い地域社会に住んでいたからではないでしょうか」（同書）。

「便利」より「不便」を選ぶという発想はどこからくるのか？

著者は、それを「江戸時代と現代の技術に対する考え方」の違いと指摘します。つまり、現代社会は便利で、実用的にはよいことばかりだが、それにひきかえ、江戸時代は不便なだけで、まるでよいことがない。「ところが、実用性がなくて、みんな無駄なことばかりしているような社会は硬直していないから、いつまでも続くんじゃないでしょうか」。逆に「みんなが同じようなことをしている現代のようなやり方では、ある日ガタッと行き詰まるのではないか」というのです。

長く続いた保守的で平和な江戸時代を通じて、われわれの先祖は農耕民族としての独特のバランス感覚を発達させた。その影響は、自然科学や技術の扱い方にもはっきり現れていて、人間が適応して行ける程度のゆっくりした速さでしか技術を発達させなかったし、日本人独特の強い好奇心を、遊びや芸ごとやファッションの世界に発散させてしまった。

（『大江戸テクノロジー事情』石川英輔著、講談社）

では、「みんな無駄なことばかりしているような」江戸の経済はどうだったかといえば、驚くことに、江戸時代の日本は英国に次いで世界第二番目の経済成長率だったといいます（『江戸問答』田中優子、松岡正剛《せいごう》共著、岩波書店）。その原因は、人も物も動かしていた「流動性」にあると、江戸文化研究者の田中優子は分析しています。

流動性の中心は「ものづくり」にある。「徹底して市場で売れるものを作る。有田焼や伊万里などの肥前磁器は市場を海外にももっていた。（略）国内の場合はあらゆる布と紙と、そして食料です。生活必需品だけでなく、浮世絵などの出版物が生み出す『流行』によって、買い替えが起こる。（略）文人の場合にどうだったかといえば、絵であれ書であれ学問であれ、それはなんらかの経済を生み出していたと言ってもいいと思う。そういう人の塾に誰かが行くときにも、お金が動く。人が移動すれば、（略）それだけお金が動いて、お金が落とされていく。（略）遊びが深まれば深まるほど、お金が動きます」と田中は語っています。

つまり、循環経済です。まさに「金は天下のまわりもの」ですね。江戸の経済は、武士から庶民までが「遊び、動く」ことで回っていたともいえるのです。

江戸の「遊び」に学ぶ、生きるに値する未来とは？

このようにみると、ぼくたち現代人は、たしかに江戸から学ぶべきことが多い。だからといって、何もかもを捨てて江戸に戻ればいいというのはあまりにも極端です。現代の武器をすべて廃棄して、世界中が花火大会をやればいいといっても、もしそれが実現できればたしかに夢のようですが、残念ながらいまも世界中で紛争を繰り広げている当事者たちが、その「遊び心」を理解してくれるとはとうてい思えません。

「うつくしく、やさしく、おろかなり。そんな時代がかつてあり、人々がいた」と、江戸をこよなく愛し、「私が惚れた『江戸』」を語った杉浦日向子でさえ、「近年『江戸ブーム』とやらで、やたら『江戸三百年の知恵に学ぶ』とか『今、江戸のエコロジーが手本』とかいうシンポジウムに担ぎ出される。正直困る。つよく、ゆたかで、かしこい現代人が、封建で未開の江戸に学ぶなんて、ちゃんちゃらおかしい」と書いています。彼女がこの文を書いたのは、一九九三年。いまから約三〇年もまえです。彼女がいいたかったのは、江戸は美しく、やさしいだけをみていては駄目だ、ということ。「江戸は手強い。」が、惚れたら地獄」という言葉のなかに、まるで「隣の芝生は青くみえる」的な安易さで江戸のいい部分だけを真似ようとする現代人の、甘さや浅はかさに警鐘を鳴らしたのです。

そしていま、「SDGs（持続可能な開発目標）」を掲げて、人類が生き永らえられる社会をつくるために、あいかわらず江戸の循環経済やエコロジーに熱い視線が注がれていますが、**江戸の「生きるために遊ぶ」という精神、さらにいえば、貧しさや生きる厳しさのなかから培われた人生哲学こそ、これから生きるに値する未来をつくるために、新世代の君たちが継承すべきもの**だと、ぼくは思います。

前出の『大江戸テクノロジー事情』のなかで、ぼくが、とくに「なるほど！」と思ったのは、次の部分です。「科学技術は、すべての面で実に理路整然としていて、うまく行きます。でも、部分的な整合性が進めば進むほど、社会全体の不整合が目立つ。結局、割を食っているのが、張本人の人類を含めた生物ではないでしょうか」という考えで、江戸の人々が物事の可否を判断していたということ。

つまり、**部分的に正しいことが、全体としては間違った結果になる。**

これは、ぼくたち現代人がいまやっていること、たとえば、コロナ対応でも何でもいいのですが、**みんなが懸命に考え、正しいことを積み重ねてきたはずなのに、全体をみればデタラメな社会になっていく**ことを見事にあらわしていると思えるのです。

これが、科学技術万能の現代の大きな落とし穴です。人間の能力では、残念なことに自分の行為が将来もたらす結果についてほとんど予測できません。そして、それがわかっていたからこそ、江戸の人々は、あえて効率や便利を犠牲にしてまで安定と太平を選択することができ、科学技術を実用ではなく遊びにシフトするという、リベラルアーツ的な精神を発揮できたのです。それが、かえって社会の多様性を生み、ひとりひとりが自分にできる仕事を見つけ、遊ぶ社会が循環経済を生み出すことにつながった。見事なバランス感覚です。

では、そのような社会は、どのような人生観を生み出したのでしょうか?

「江戸のライフスタイル」とは「三ない主義」です。一つ、モノをできるだけ持たない。二つ、出世しない。三つ、悩まない（by杉浦日向子）。

貧しくてモノが持てないという理由もありますが、江戸はとにかく火事が多い。逃げ出すときに風呂敷包みひとつでどこへでもいけるように、家財道具はとにかく最小限に、これが一つめの理由。出世して地位が高くなると余計な付き合いもあるし厄介ごとが増える。身軽に生きた方が楽だ、これが二つめ。そして、過ぎたことは悩まない。翌日に持ち越さない、これが三つめの理由です。いかがですか？　見事に現代人とは逆ですね。

これをぼくに教えてくれたのも、すてきな江戸案内人、杉浦日向子の本でした。彼女はこう書いていています。「この三ないを私たちは全部持とうとしています。モノを持ちたいし、出世したい、悩みながら努力して、根性をつけてジャンプしたい。そういう逆のほうに来てしまったのがいまの産業社会で、飽食の果てに来るものというのは疲弊した肉体と精神で、このままただ、なし崩し的に滅びていくよりは、新しい貧しさを選択したほうが私はよいと考えています（「お江戸の水と緑」『うつくしく、やさしく、おろかなり』所収、杉浦日向子著、筑摩書房）。「新しい貧しさ」とはお見事！　これを目指すことが新しい時代を生きるヒントになるかもしれません。

最後にもうひとつ。江戸時代の時間感覚です。現代人はとにかく「時間がない」が口癖ですが、江戸っ子の辞書には、その言葉は存在すらしていなかったようです。彼らにとって、時間は無尽蔵にある。自分が生まれるまえからもあったし、死んだ後もずっとある。そういう感覚だったので、「時間がない」とは決して口にしないし、時間はいくら使っても減らない。

江戸の人々にとっていい時間とは、「ああ、おいしかった」とか「ああ、嬉しかった」、つまり感動があった時間、何か感じた時間がいい時間として記憶に残る。逆に何も感じなかった時間、何もなかった時間はないも同然。

つまり、彼らにとっては、時間をよくつかうというのは効率ではなく、感動でいかに時間を膨らませていくかというところにあったようです。そして、そのような時間を生きることが「人生を遊ぶ」ことにつながるのです。

第八章　いかに人生を遊びつづけるか②

――実践編

この章のテーマは、いかに人生を遊びつづけるか？　の実践です。
いまさら「遊ぶ時代」だった江戸には戻れない現代に生きるぼくたちが、じっさいに人生を遊びつづけるためには、どうすればいいのか？　そのためには、おそらく無数の方法があるはずですが、ここでは、次の三つを挙げておきます。

人生を遊びつづけるための「三つの方法」

人生の旅人になってみる
自分のためだけでなく、自分のまわりの人々のために遊んでみる
仕事と遊びの境界線をなくしてみる

この三つを実践できれば、誰もが人生を遊びつづけることができる！　と、ぼくは確信しています。これは、ぼく自身が、自らの人生で実践したことであるとともに、ぼくが知るかぎりでの「人生を遊びつづけている人」すべてに共通する特徴でもあるからです。

この三つのうち、この章では最初のふたつについて考え、最後の「仕事と遊び」については、次章（第九章）の「仕事編」でとりあげることにします。

日本人である自分に気づくための「旅」に出る

人生を遊びつづけるために必要なことは、まずは、自分の「遊び場」をつくること。そのためには、自分と世界との関係をつかんでおくことです。たとえば子どもたちは、遊ぶことによって自分と世界との関係をつかんでいきます。子どもにとって「遊び」は、世界に出合うためのものであり、想像と創造の翼を羽ばたかせることを育むための広場でもあります。

では、大人たちにとってはどうか？

たとえば「自分が日本人であることに気づく」。これは、自分と世界との関係をつかむ視点を身につけるために、とても大切な「気づき」になってくれます。

自分が日本人であることは、日本人ならば誰でも知っています。でも、日本のなかにいると、なぜか自分が日本人であることになかなか気がつきません。まわりも日本人ばかりで、日本人であることを意識する必要がないからです。

ところが、外国に出ると、日本人であることがつねに自分に付いてきます。外国人との会話は「あなたは何人ですか？」からはじまるように。そうして日本人である自分を、外国人と相対的に眺めるようになる。そうすることではじめて**「日本人になる」**のです。これは、自分と世界との関係をつかむうえで、とても重要な出発点になります。

元サッカー選手の中田《なかた》英寿《ひでとし》が、武蔵野美術大学の特別講義で、日本に帰国してから「旅人」となって日本中の旅をずっとつづけている理由を訊かれて、こう答えています。

3年間ずっと海外をまわっていて気づいたことのひとつは、自分が日本人であるということでした。海外で出会う人の中で、ぼくのことを「元サッカー選手」だと知っている人もいます。でも多くの人にとっては、ぼくはまず「日本人」です。だからみんな、日本のことを知りたがるんですよ。「日本はどんなところなのか」「どの都市が楽しいのか」「何が素敵なのか」。ところがそう尋ねられてもぼくは、ほとんど答えることができませんでした。世界をまわって、いろいろなことを勉強した気でいたけれど、自分の足元である日本のことをぜんぜん勉強してこなかった。それでは意味がないと思ったんです。

（『片山正通教授の「好きなこと」を「仕事」にしよう』片山正通著、マガジンハウス）

そうして彼は、四七都道府県をぜんぶまわろうと決意します。ひとつの県に一〇日から二週間くらい滞在して、その地の風土、伝統工芸、伝統芸能、農業、漁業、日本酒に神社仏閣、その土地の文化を少しでも勉強するための旅。これは彼が日本人である自分に「気づいた」からこその旅であるといえます。

中田の肩書きのひとつには「旅人」とあります。彼の旅は、ただざまざまな土地をまわるだけではなく、人生を旅することでもある。それは、まさに彼が自分と世界の関係をつかんで自らつくりだした「遊び場」でもあるといえるのです。

ふたつの異なる文化から、自分を複眼的にみつめてみる

ほんとうの旅人になって、一生涯さまざまな土地を巡りながら生きていく。このような

人生は、たとえ憧れたとしてもなかなかできることではありません。けれども、誰にでもできることがあります。それは、**自分の人生を旅するように生きてみる**ことです。

まちがっても、人生設計などというものを描こうとしないこと。「三〇年後に自分はこうなっている」とありもしない未来を想定していまの自分ができる可能性を限定してしまうことになるなら、それはいかにももったいないことです。

この本を手にしてくれた新世代の君たちに、ぜひやってほしいことがあります。**少なくとも二〇代のときに、ふたつ以上の国の異なる文化にふれておく**ことです。それを経験しているかどうかで、これからの人生が大きく変わる。そういってもいいくらいです。

一九歳でフランスに渡ったとき、ぼくには学歴も肩書きも何もないと思っていましたが、まず思い知ったのは、日本という国で生きていたぼくにとっては、日本人であるということがいかに大きな「肩書き」だったかということでした。

日本人であるということだけで、日本の国は日本人を守ってくれます。これは、とてつもなく大きな「肩書き」だったことに気づいたのです。日本人が日本にいれば、少なくとも言葉が通じないといって国外に追い払われることはない。有色人種だといって露骨にゴミに触るような態度で扱われることもない。街をただ歩いているだけで、不審者扱いされて警官に逮捕されるようなこともない（すべてぼくの身に現実に起きたことです）。

これらはすべて「日本人という肩書きを持って日本に生きている」だけで得られる特典です。**外国で生きるということは、日本人である自分を外側からみるということでもある。それは、君たちの人生にとってかけがえのないもうひとつの視点を与えてくれます。**

そのために、いますぐにでも日本を離れてどこかほかの国で暮らしてみる。ほんとうは三年くらい離れてみると、日本という国と自分自身がはっきりみえてくるはずですが、それが難しければ、一年でも、半年でも構いません。そのようなことを、人生が落ち着いて生活が固まるまえにとにかくやってみる。それができるのは、若さの特権でもあるわけですから。

ともかくたんなる観光ではなく、自分と異なる文化のなかに身を置いて生活してみるという体験が、これからの長い人生の出発点で、どれほど自分という軸をつくるのに役立つことか。この貴重さは、どれほど強調しても強調しすぎることはありません。

目的など、何もなくても構わない。むしろない方がいいかもしれない。ただ日本を離れてみる。それだけで十分です。たとえば自転車をひとつ持ってアメリカ大陸を縦断してみるとか、そこまではできなくても、自分なりの工夫をしてみれば、たとえお金がなくても、きっとやり方はいろいろあるはずです。

人生の「地図」を描くために

なぜ、生まれた国を一度離れてみる必要があるのか?

それは**自分が生きた国を外から眺めることで、自分の「地図」を描くことができるから**です。その世界のなかにいると、自分がどのような場所にいるのかはよくみえません。ところが、たとえば飛行機に乗って空からみてみると、自分がいた場所がどういうかたちをしているのか、どのような起伏があって、海岸線がどういうかたちをしていたのかがみえてきます。外からみると、地図が描けるというのは、そういう意味です。

ぼく自身の体験を少しお話しさせてください。ぼくが西欧の文化や芸術に憧れてヨーロッパに渡ったとき、日本のことなど興味もなかったし、何ひとつ知りませんでした。まだ若かったせいもあり、はじめは夢にまでみたパリの街を歩き、枯れゆく街路樹や街並みの美しさに心を奪われる日々を、ただ夢中で過ごしていたものです。

ところがあるとき、ふとパリの地下鉄の駅構内に貼られた巨大なポスターに日本の桜の風景が描かれているのをみた瞬間、どっと涙があふれてきました。何という美しさ! まるで自分が探していた「何か」に出合ったような感動。そのとき、ぼくは自分が日本人であったことにはじめて気づかされたのです。

あたりまえだと思われるかもしれません。でも、**この「あたりまえ」は、日本人として日本に生まれ、日本に暮らすだけの「ふつうの日本人」であるぼくたちには、じつはなかなかわかりにくいこと**なのです。もし、海外で暮らしていなければ、ぼくが日本の桜の切ないまでの美しさに気づくことは一生涯なかったかもしれない。いまでもそう思っています。

新世代の君たちが、これからの人生を歩いていくために自分の「地図」を描いておく。これはとても大切なことです。誤解してほしくないのは、**それは人生を組み立てる「設計図」ではない**ということ。あくまで**世界を描くため、そして世界を遊ぶための地図であって、そこにゴールや目的が記されているわけではありません。**

ひとつだけ注意しておきたいのは、たとえ君が海外で暮らしはじめたとしても、現地の同胞である日本人を頼るようなことは、できるだけしない方がいいということです。できるだけ現地の人々のなかで、現地の言語をしゃべってみる。ジェスチャーでもなんでもいいので、とにかくコミュニケーションを成立させることをやってみる。

ぼくがイタリアを旅していたときに、世界中を旅しているという日本人の青年に出会ったことがあります。彼は、三つだけその国の言葉を覚えれば、それだけでどこでも旅できると豪語していました。いま思えば、おかしな変わった人でしたが、笑えるくらいに現地の言葉が喋れずに、それでも、もう一年以上も世界中を旅していたということなので、おそらくほんとうだったのでしょう。

人生を旅することは、ひとつの場所に縛られないということでもあります。これは住む場所を変えつづけるという意味ではありません。生きていると、知らず知らずのうちに、ぼくたちが固定観念と呼ぶ「常識」のようなものに固まってしまいがちです。それに染まらないために、自分のなかに「遊民」のような気持ちを抱きつづけることです。

人生を旅することは、必ずしも世界各地を旅して歩くことだけではない。いつでもどこでも、どのようになっても、身体ひとつでどこにでもいける自分になっておくこと。

人生は予知できないことの連続です。どんなに綿密な設計図を描いても、そのとおりにはなりません。大切なことは、予想外のとんでもないことが起きても、それを受け入れられる自分であるようにしておく、つまり**人生をフラットにしておく**という意味でもあります。

本の世界を旅する① 迷宮の世界への旅路

もうひとつ、人生の旅人になるための、**人生をかけて挑むべきもうひとつの旅**がありま す。それは、**本の世界を旅すること**です。

本とひとくちにいっても、その世界はあまりにも広大で、その旅で何が起きるのか、あらかじめ準備することも、予想することもできません。それは、まさに冒険そのもの。すなわち、本の世界を旅することは、人生の冒険者になることにもつながるのです。

偶然、手にとった一冊の本が人生を変えたなどということは、本の世界ではよく起こることです。たまたま開いたページに悩んでいた自分の進むべき道を指し示す言葉が書いてあったりと、本の世界は、偶然や神秘的な出来事の連続であふれています。

いま、若い人たちが本を読まなくなったといわれますが、ぼくが思うに、それは本という奇想天外な世界の底知れぬ魔力（ぼくにとっては魅力ではなく魔力そのもの）にまだ気づいていないだけです。本の世界は迷宮としかいいようのない神秘の世界です。最近の大ヒット作『鬼滅の刃』では、大正時代を舞台にした神秘的な世界観に若者があれだけ夢中になれるのですから、本の摩訶不思議な世界にもきっと魅せられるはずです。

たとえば、本の背表紙。あれは、たんなる「本の背」ではありません。日々、自宅の本棚の何千という背表紙を眺めて暮らしていると、本の背表紙はまるで「墓碑《ぼひ》」のようにもみえてきます。ぼくたちが普段の生活で接しているのは、あたりまえですが生きている人たちだけです。でも、本の世界は違います。生者と死者が入り混じっている世界。というよりも、いい本の著者は圧倒的に故人であることが多い。つまりは死者です。ふと手にした古典の著者が一〇〇〇年もまえの人だったということも、本の世界ではごくふつうに起こります。

でも、現実に死者と対話できるのは、霊媒者にでもならないかぎりは不可能です。本の世界だけが、いま、ここにいない先人たちの声を聞くことができる。考えてみればすごいことです。

生きている人々との交流という現実社会は、いわば「横のつながり」でできています。けれども、文化とは「縦のつながり」をつくりだすことにほかなりません。過去の偉大な魂と対話できる本は、過去と現在をつなぐ「縦のつながり」の世界です。それは、過去の偉大な遺産を未来に伝える橋をかけるということでもあるのです。

本の世界を旅する②　人生の冒険者になる

それに、本は、ただ手にとって読むためだけにあるのではありません。本に出合う、本にふれる、本に恋する、本と別れる、本の森に迷う、背表紙の海を泳ぐ、などなど、人類のあらゆる創造力と想像力と叡智の象徴でもある本というあまりに壮大な世界を遊ぶことは、ある意味では、現実の世界を冒険すること以上に大きなものを君たちの人生にもたらしてくれるかもしれません。

本の世界を旅することのはかりしれない魅力のひとつに、時空を超えた旅ができるということがあります。たとえば、東京から名古屋まで旅をするとします。いまなら新幹線で一時間四〇分ほどの距離ですが、これが江戸時代には、一〇日ほどかけて旅をしていたわけです。たった二時間足らずと一〇日間。けれども、一〇日間という時間をかけなければみえない景色や、抱けない感情がきっとあったはずです。そこにあるのは時間の違いだけではありません。令和と江戸。その途方もない隔たりと、旅の日々のなかで彼らが経験したことも感じたことも、まるで別物です。そこに流れる時間の速度もまったく違う。旅という概念だけなく、人生そのものすら、現代と江戸時代ではまったく違う意味を持っていたのはまちがいないからです。

それを体感するために、たとえば十返舎一九《じっぺんしゃいっく》の『東海道中膝栗毛』を読むのです。冒頭の「武蔵野《むさしの》の尾花《おばな》がするゑにかゝる白雲《しらくも》と詠《よみ》しは、むかし〳〵浦《うら》の苫屋《とまや》、鴫《しぎ》たつ澤《さは》の夕暮《ゆふぐれ》に愛《めで》て、仲《なか》の町の夕景色《げしき》をしらざる時のことなりし」という、たった一文を味わってみるだけでも、一気に江戸時代にタイムスリップしたような、わくわくした旅の予感を感じさせてくれます。これこそが、まさに本の世界を旅する醍醐味のひとつなのです。

たとえば、ベートーヴェンに憧れてウィーンに旅をするとします。美しい街並みは、たしかに楽聖をしのばせてはくれますが、残念ながら彼が生きた時代のウィーンを歩くことはもはやできません。けれども、当時の人々の文章とともに過去のウィーンを旅することはできます。歴史の扉を開いてくれる本が、あなたを過去に連れて行ってくれるからです。

本は、自分のまだ知らない世界への扉でもあります。その世界を旅することで、ぼくたちは、散歩するベートーヴェンの姿や、カフェでくつろぐベートーヴェンの姿を想い描くことができるようになります。その小さな冒険の数々が、君たちの人生をどれほど豊かにしてくれることか。それは、はかりしれないほど大切な何かをもたらしてくれるはずです。

本の世界を旅する③　記憶と想像力のエネルギーとしての本

ところで「本」という漢字が、どうやってできたかをご存じですか？

「本」という字は、木の根元の形を表す指事文字ですが、そこから「物事のはじめ」という意味が生まれました。「基本」「根本」と、書物の「本」は、同じ意味を持つ言葉だというのは、ここからきています。

では、西洋語はどうでしょうか？「本」を意味するラテン語の「liber（リベル）」は「樹皮」に由来し、その語源は、「Leaf（葉）」に通じています。さらに手紙という意味もあります。日本でも「葉書《はがき》」という「葉」を思わせる言葉がありますが、漢字も西洋語もどちらも「木」に由来するのはおもしろいですね。

さらに、同じ「liber」という単語には「自由な」「独立した」という意味もあります。つまり、リベラルアーツの「リベラル」と同じ語源の言葉ですが、それにしても「本」と「リベラル」が同じ言葉からきているというのは驚きです。

書物は人間が創り出したさまざまな道具の中でもっとも驚嘆すべきものです。ほかの道具はいずれも人間の体の一部が拡大延長されたものでしかありません。（略）しかし、書物は記憶と想像力が拡大延長されたものだという意味で、性格を異にしています。

（「書物」『語るボルヘス』所収、J・L・ボルヘス著、木村榮一訳、岩波文庫）

これは、アルゼンチンの文豪ボルヘスの言葉です。

たとえば、手の延長には、ハンマーや包丁があり、それがショベルカーやクレーンのような機械となり、足の延長には靴があり、脚の延長には車輪があって、それが自動車やレーシングカーに発展するように、人間がつくりだしてきた道具は、ほとんどが身体のある一部の機能を拡張させたものです。それが、本の場合は、人間の記憶と想像力が拡大、延長されたものであるというのがボルヘスの主張ですが、さすがに含蓄のある言葉です。

第一部で「創造力」と「想像力」というふたつの「ソウゾウリョク」こそ、リベラルアーツによってもたらされる最大の果実だと書きましたが、本とは、まさにそのリベラルアーツという樹木にたえまなく栄養を注ぎ込むエネルギーそのものであり、過去の偉大な叡智たちとつないでくれるかけがえのない伴侶なのです。

自分のためだけでなく、自分のまわりの人々のために遊んでみる

人生を遊びながら生きるための、とっておきの秘訣があります。それは、自分のために遊ぶだけでなく、自分のまわりの人々のために遊んでみることです。

どういうことか？　自分が楽しむだけであれば、それは、たとえばスマホでゲームをすることと変わりません。ただ、自分がいまやっている遊びを、もし他の人がよろこぶ遊びに変えたり、それを考えたり、実行できれば、それを仕事にすることもできます。

人のために遊ぶことの楽しさを知ると、自分だけが楽しむ遊びが、何と小さな世界だったのかと気づかされます。もう自分だけの遊びには戻れないというくらいに楽しい。その遊びは、ゲームとはかぎりません。人を笑わせることができればお笑い芸人になれるかもしれないし、人がよろこぶ野菜をつくることができれば農業家になれます。まわりの人々がくつろぎ、楽しめる場所をつくれば、喫茶店やサロンができます。地域の人々がより暮らしやすい社会をつくろうとする想いは、政治家の理念にもつながります。つまり、利己主義的な遊びではなく、利他主義的な遊びができれば、それが仕事にもつながるのです。

「利他主義」という考え方は、日本でも最近とくに注目されるようになってきました。地球環境汚染問題や、新型コロナウイルスの感染拡大によるパンデミック（世界的大流行）が

深刻化するなど、深刻な危機の時代を迎えたいま、互いに自己の利益を求めて競いあう先に待っているのは地球環境の破滅であり、人類の断絶であり、いまこそ「他者のために生きる」ことが求められているのではないか、というのです。

ただ「他者のために生きる」ことは、自己犠牲のうえに成り立つわけではありません。フランスの思想家、経済学者のジャック・アタリが提唱する「合理的利他主義」は「合理的な利己主義にほかならない」と説明されています。一言でいえば、他者のしあわせは、結果的に自分の得になるという考え方です。

ただ、わざわざヨーロッパの思想を持ち出さなくとも、日本には、ずっとこのような考え方があります。たとえば近江商人の世界では、古くから「三方よし」（「売り手よし」「買い手よし」「世間よし」）という、売り手と買い手がともに満足し、社会貢献もできることがよい商売であるという商売人の心得があります。さらに現代では、それに「未来よし」という「ＳＤＧｓ」の考え方を加えた「四方よし」も唱えられるようになりました。

このように、日本には、自分だけの利益を追求していたのでは共同体が維持できないという考えが、古くから根づいています。もし、それが忘れられたとすれば、西欧由来の利己主義的で資本主義的な考えがあまりにも一般的になってきたからでしょう。

「遊び心」が、平和な世界をつくる

この章の最後に、「遊び心」が平和につながるという、ひとつの提案をご紹介しておきたいと思います。

「14歳の世渡り術」シリーズというコレクションのなかに『世界を平和にするためのささやかな提案』（河出書房新社）という本があります。このなかで、永江朗《あきら》（フリーライター）が世界を平和にするためには、「本を読んでフマジメになろう」という、とてもおもしろい、ユニークな提案をしています。

「平和のためにフマジメになりましょう」という意表を突く一言からはじまり「こんなというと、『フマジメなやつは、まわりに迷惑《めいわく》をかけるからダメ！』と怒《おこ》る人もいると思います。でもフマジメなやつによってかけられる迷惑なんてたかがしれています。（略）ところがマジメな人によって引き起こされる迷惑はその何百倍何万倍の規模です。テロであれ戦争であれ、平和を壊すのはマジメな人たちです。おもしろ半分でふざけて戦争を起こす人はいません。政治家も軍人も、みんなマジメに考えて戦争をします」と書かれていますが、いわれてみれば、そのとおり！　と思わず膝を叩きたくなります。「少なくとも人は笑ひながら闘ふことはできない」。ちなみにこれは、三島由紀夫の言葉です。

さらに愉快なのは「人間はほうっておくとマジメになりやすい」というくだりです。大人はよく子どもを「マジメにやりなさい」と叱るけれど、マジメであるためには他人に決められたルールに従って脇目もふらずにコツコツやっていればいいから、その方がはるかに楽だという意見にも、そうだそうだ！　と拍手したくなります。

さらに、永江の主張は、こう続きます。

「君はマジメだね」なんてほめられて得意になって、ますますマジメになって、コツコツやって、いつのまにか罪もない無関係の人びとを不幸のどん底に落とすのがマジメ人間です。

世の中を平和にするには、ぼくたち一人ひとりがマジメにならないよう気をつけなければなりません。（略）

でもフマジメでありつづけるのは楽じゃない。自分で感じて考えてそのつど判断しなきゃいけないから。フマジメであるためには賢《かしこ》くならなきゃいけないし、そのためには努力が必要です。油断するとついマジメになってしまうから。

（『世界を平和にするためのささやかな提案』池澤春菜ほか著、河出書房新社）

そして「フマジメになるため」におすすめしたいと彼が書いている方法が、本を読むこと。つまりその主張は、まさに「遊ぶためのわざ」としてのリベラルアーツを身につけることでもあるのです。「フマジメ」を「遊び」に置き換えてこの文を読むと「遊び心」を持って生きることが平和な世界のためになるということを、もっと「マジメ」に考えるべきだ！　という声が聞こえてきそうです。

第九章　いかに人生を遊びつづけるか③
──仕事編

新世代のこれからの仕事とは？

人生を遊びつづけて生きることのよさはわかった。たしかにそれができたらすばらしい。でも、仕事はどうする？　仕事をしなければ生きていけないではないか？

新世代の君たちが、こんな疑問を抱くのも無理はありません。大学生であれば就職活動の問題もある。企業に入ってはみたものの、ダメ上司や組織の人間関係に苦しむばかりで仕事にやりがいもなく、悩んでいる人も多いはずです。

この章では、これからの新世代の仕事について、考えてみたいと思います。

結論から書きます。

これからの仕事は、もっと自由自在であるべきだ。

新世代の君たちは、自分の仕事、自由な仕事をして生きることを目指すべきです。

いま、現代社会における労働のあり方に大きな変化があらわれているのは、新世代の君たちも肌で感じているはずです。いわゆるＧＡＦＡが象徴するようなシリコンバレーや、ハリウッドなどエンターテインメントの拠点でもあるアメリカ合衆国カリフォルニア州では、従来型の雇用形態で働いている人は、三人にひとりにすぎないというデータがあります。つまり、労働人口の三分の二は、フリーランスやパートタイム労働者なのです。しかも、これはいまから二〇年以上もまえ（一九九九年）のデータ。現在ではさらに加速しています。同国の未来を先取りするカリフォルニア州の、これが労働者の実態です。

このことをぼくに教えてくれたのは、『フリーエージェント社会の到来　新装版』（ダニエル・ピンク著、池村千秋訳、ダイヤモンド社）という本です。これからの仕事を考えるために、とても参考になる本なので、ぜひ一読をお勧めします。

いまや組織人間の時代は、終わったともいえるのです。

いいかえれば、組織が個人に保障を与え、その代わりに個人が組織に忠誠を誓うというこれまでの労使関係は、もはや崩壊したのです。

この傾向が顕著になった背景には、労使関係の崩壊以外にも、繁栄が広い層に行き渡り、生活の糧を稼ぐことだけが仕事の目的ではなくなったこと、組織の寿命が短くなり人々は勤め先の組織より長く生きるようになったなど、先進国アメリカ合衆国ならではの事情もあります。

アメリカ合衆国と日本は違うという意見もあるでしょう。ぼくもそう考えるひとりです。でも、いまの日本社会が同国の労働モデルをベースにしている以上、その現状に日本の未来を読むのは、残念ながらいまだ有益なのです。さもなくば、日本にしかできない労働環境をつくることです。ぼくたち旧世代にはそれができませんでしたが、君たち新世代には、そのような日本をつくってもらいたいと心から願っています。

フリーエージェントがもたらす仕事の未来とは?

では、自由自在な仕事とは何か? 前出のピンクは、それを「フリーエージェント」と呼びます。フリーエージェントとは「『インターネットを使って、自宅でひとりで働き、組織の庇護を受けることなく自分の知恵だけを頼りに、独立していると同時に社会とつながっているビジネスを築き上げた』人々のこと」と、この本では説明されています。日本では、フリーランス、ミニ起業家などと呼ばれている人種のことです。

彼らフリーエージェントに共通するのは、インターネットや地域コミュニティを活用した、ヨコのネットワークの存在です。「ヨコのつながりの存在こそ、フリーエージェントがプロジェクトを成し遂げるための根幹であり、セーフティーネットである。フリーエージェントは、組織に従属はしていないが、同時に社会から孤立した個人でもない」（同書）

重要なのは、自由自在な仕事とは「孤独な仕事」ではないということ。これまでいちども会社勤めをしたことがないぼくは、とくにそれを痛感して生きていますが、**社会とつながり、社会から必要とされるからこそ、自由自在な仕事ができる**のです。

かつて、仕事をする上での前提は、すべて「組織」にあった。組織に人が集まり、集った人々のみが知恵をしぼり、粘り強く努力を積み重ね、やっとの思いで何かを成し遂げる。それが「仕事をする」ということだった。

しかし、インターネットが普及し、組織の外部とも格段につながりやすくなり、同時にグローバル化が競争のスピードを加速させるようになると、仕事の前提は「組織」から「プロジェクト（事業）」へ移っていく。（略）

にもかかわらず、組織のタテ社会の人間関係に縛られているならば、プロジェクトの期限内での実現は到底不可能である。必要なのは、組織のしがらみにとらわれることなく、適材適所で縦横無尽に活躍できるフリーエージェントの存在だ。
（『フリーエージェント社会の到来　新装版』ダニエル・ピンク著、池村千秋訳、ダイヤモンド社）

「フリーエージェントにとって重要なのは、安定より自由。（略）人々は組織の陰に身を隠すのではなく、自分の仕事に責任をもつようになったのだ。なにをもって成功と考えるかは、あらかじめ決められた定義に従うのではなく、自分自身で決める」（同書）とピンクは書いています。つまり、出世とか企業トップを目指すとか、そのような成功モデルですら、もはや自由自在だということです。

こうしたフリーエージェントの活躍によってできた経済の仕組み、それをピンクは「フリーエージェント経済」と呼びます。そのフリーエージェント経済を、旧来の（組織型）オーガニゼーション経済と比較したとき、大きな違いは、力の所在が組織から個人に移った結果、**資本ではなく人材がもっとも重要な資源になった**ということです。ここに、**人材としての自己を磨くリベラルアーツの精神が活かされる**のです。

では、これからの社会に必要とされる人材とは、どのような人材なのか？

仕事として与えられたプロジェクトを、期限内に実現できるだけの能力と責任感が必要なことはいうまでもありませんが、ぼくはそれに「自己実現を成し遂げている人」という要素を加えたいと思います。

自己実現を成し遂げている人たちを見れば、最も好ましい環境下では、仕事に対してどういう態度を取ることがいちばん理想的なのかがわかる。高いレベルに達している人は、仕事を自分の個性と一体化させている。つまり、仕事が自分の一部となり、自分という人間を定義するうえで欠かせない要素になっているのだ。

——エイブラハム・マズロー（同書）

これは、アメリカの心理学者マズローの言葉です。「仕事を自分の個性と一体化させる」。これは、人生を遊びつづけることと密接につながっています。つまり、自己実現を成し遂げている人というのは、仕事が遊びであり、遊びが仕事であるように、仕事と遊びの精神が一体化している人のことでもあるのです。

仕事と遊びの精神を一体化させるために

では、どうすれば仕事と遊びの精神を一体化させることができるのか?

まずは「**仕事＝労働**」**とは考えない**こと。**仕事とは、自分が食べていくためだけのものではない。自分が世界といかにかかわるか、世界のなかに自分をいかに位置づけるかということでもある**からです。

新世代の君たちにやってほしいのは「**誰かのためになることを仕事にする**」ことです。働くことはたしかにつらい。ただ働くことが嫌で仕方がなければ、そこによろこびや、やりがいを見出すことは難しい。でも、それを誰かがよろこんでくれる、誰かが必要としてくれるということがわかれば、そこにやりがいや生きがいを感じられるはずです。

そのためには、**自分が好きなこと、楽しいことを仕事にしようとは考えない方がいい**。やらない方がいいというわけではありませんが、**とりあえずはあとまわしにしておく。大事なことは、いま、自分の眼のまえにあることを、とにかく必死でやる。それに尽きます。**

そうして自分の価値を、自分がいま立っている場所、自分がいま置かれている状況から高めていく努力をする。これが、世界のなかに自分の存在する位置をみつけることにつながるのです。

そうすれば、きっと誰かが認めてくれるときがきます。「がんばってるね」でも「いい仕事してるね」でも「じゃあ、こんなことやれる？」でも、何でもいい。誰かに必要とされるということは、いいかえれば、世界のなかに自分の価値があるということです。時間はかかるかもしれません。ぼくは、ほんとうにそれを実感できるまで、二〇年以上かかりました。でも、そのときは必ずやってきます。

そして、ここが「遊び」の精神の大事なところで、とにかく眼のまえのものを、何でも遊びに変えてしまうくらいの気持ちと視点、すなわち「心の遊び（余白）」をもちつづけ、誠実に懸命にひとつひとつに臨んでいく。それさえできれば、つらかろうが苦しかろうが何とかなります。仕事は楽なわけはありません。でも、つらい仕事だからこそ、やり遂げたときに達成感やよろこびが得られることも大きい。ゲームでゴールしたときの達成感と同じです。

もし、自分にできることが自分の好きなことであれば、それはとても幸運なことです。「好きこそものの上手なれ」と昔からいわれるように、人は好きなことの方が、嫌いなことよりもはるかにうまくでき、さらには、好きなことをしている方が、人に多くのよろこびを与えられるようです。

ところが、自分が好きでもないのになぜかうまくできてしまう。これもすばらしい才能です。きっとそれが天命なのかもしれないと信じて、とにかくやってみる。

自分ができることで、人がよろこんでくれることは何か。それを考えて、ひとつひとつ実践していく。人のよろこぶ姿を自分の生きがいにすることができればしめたものです。君は、それだけで生きていくことができます。

自分の価値を高めていく方法

ぼくはいま、よりよい社会をつくるために文化や芸術に何ができるのかを考え、実践することが自分のやるべきことだと信じて仕事をしています。

それが、結果的に本を書いたり、劇場の運営に携わったり、アーティストの企画を考えたり、自治体からの依頼を受けてまちの文化事業を計画したり、ホールの舞台で文化・芸術のナビゲートをしたり、文化・芸術講座をやったり、若い文化人を育成したり、といったことにつながっています。いろいろなことをやっていますが、目的はひとつです。

このようなぼくをみて、あなたには才能があるからそれができるのだと、もし誰かがいったとすれば「とんでもない！」と強く否定できる自信はあります。なぜなら、ぼくのまわりには、とんでもない才能を持った人たちがほんとうにたくさんいて、そのような才能あふれるアーティストたちと一緒に仕事をしながら、才能があるとはこういうことなのだと日々感心しながら仕事をしているからです。

ぼくには、学歴も人脈も、特別な才能も何もありません。組織に属さず、自分を守ってくれる肩書きもない生き方をしようとすれば、ひとつのことだけをしてはいられない。もし傑出した才能がひとつあれば、それだけで生きていけますが、特別な才能がなければ、できることを増やしていくしかない。そのようにして、ぼくは自分にできて、なおかつ人によろこんでもらえることをひとつ、またひとつと増やしていきました。

ぼくはいま、固定されない六つか七つの職種をもっていますが、いくつもの仕事を同時にこなせなければ生きていけないという考えは、ヨーロッパ時代に、異国の地でさまざまな差別や屈辱を味わい、失敗と挫折のなかから身につけたものです。

もし、ひとつのことしかできなければ、うまくできてもせいぜい一〇人にひとりくらいの存在にしかなれない。それが、二つ、三つと増えてくれれば、一桁ずつ増えてくる。これがぼくの経験による実感です。つまり、二つで一〇〇人、三つで一〇〇〇人、四つで一万人というぐあいに、職種が五つくらいあれば、一〇万人に一人くらいの存在にはなれる。そうして世界における自分の存在価値を高めていけば、いつのまにかそれが自分をつくってくれます。

自分にしかできない人生を生きるということ

「大学を卒業したら就職しなければならない」「会社を辞めたら生活できない」

もし、この「常識」が社会から消えてなくなったら、日本はもっと自由な国になれるはずです。この世は、誰もが信じて疑わない「常識」に張り巡らされています。このふたつの「常識」も、とても強い「思い込み」となって君たちを縛っています。

「就職すること」や「会社に入ること」を否定するわけではありません。**組織に属するのはいいが、組織に縛られることはない**といいたいのです。また**「就職しなければ生きていけない」という常識に縛られてはいけない**ということです。

リベラルアーツの精神から学ぶべきこととは、このような「思い込み」から自由になるということです。人生とは試練でもあり、遊びでもある。だから仕事についても「自分にできること」「自分がやりたいこと」を、人がよろこんでくれるという基準から、じっくり立ち止まって考えてみればいいのです。

仕事がつらくてどうしようもない。もしこう思うなら、仕事を消してしまえばいい。

仕事とは「仕える事」と書きます。君はいま、何に「仕え」ているのでしょうか？　何かに、もしくは誰かに仕えている以上、それは奴隷であることと変わらない。そんな「仕事」は消してしまえばいい。**君たちは断固として自分に仕えるべき**です。

「自分に仕える」とは、自分を中心に考えるとか、わがままに振る舞うことではない。それは、ここまで読んでくれた君たちにはよくわかるはずです。**「自分に仕える」とは、自分を律すること。**そして、**誰かのせいにしたり、何かを恨んだりすることに寄りかかるような「仕える事」は、君の人生から消してしまうこと**です。

何よりも大切なことは、君たちがどのような肩書きを持つ人間になるか、ということではない。君たちひとりひとりが、自分にしかできない人生を生きるということです。

若い頃は、ぼくにも「こんな人になりたい！」と強く憧れた人が何人もいました。けれども、なりたいと願った人には誰ひとり近づくことすらできなかった。その代わりに、ほかの誰でもない自分になれた。いまでは、そう思っています。

この章の最後に、ぼくが敬愛する南方熊楠のことをお話しします。

民俗学者の柳田國男から「日本人の可能性の極限」と評された南方は、民俗学、博物学では近代日本の先駆的存在であり、多数の外国語を操り、古今東西の文献を渉猟した圧倒的な知性の持ち主でしたが、生涯アカデミズムの世界には属さず、在野の研究者としての立場を貫いた信念の人でした。ここで取りあげるのは南方熊楠の言葉として知られている言葉ですが、南方熊楠顕彰館の調査では、実際にそのような言葉の記録はなく、熊楠の書簡にある、似た内容の文章を誰かが改変して広めたものではないかとのことです。

異国の地で先がみえない日々を送っていた若い頃、ぼくはこの言葉を、肩書きのない人生を歩もうとしている後輩の背中を押してくれる先輩からの熱いメッセージとして、ずっと胸に刻んでいました。熊楠の言葉ではないと知ったときは驚きましたが、ぼくの中では、熊楠の言葉として生きているため、この言葉を、ぜひご紹介させてください。

肩書きがなくては己が何なのかもわからんような阿保共の仲間になることはない。

第一〇章　リベラルアーツを体得する極意

リベラルアーツは教えられない？

ここまで「遊ぶためのわざ」としてのリベラルアーツと、自由自在に仕事をすることを考えてきましたが、では、そのリベラルアーツの精神を体得するには、どうすればいいのか？　を、この章では考えてみたいと思います。

たとえば、西洋のリベラルアーツである「自由七科」の各科「数論」「音楽」「幾何学」「天文学」「文法」「修辞学」「論理学」の教科書を買ってきて勉強すれば、リベラルアーツを習得したといえるのか？　そんなはずはありません。

さらに、大学などの「リベラルアーツ学科」で学ぶことはひとつの方法ですが、その卒業証書がリベラルアーツを習得した証明になるわけでもありません。

リベラルアーツは、資格でもなければディプロマでもない。つまり「これだけをやれば

いい」という習得するための教育カリキュラムがあるわけではないのです。

リベラルアーツとは、世界を読み解くための「方法」であり、世界を語るための「言語」である。

これは、第二章のまとめにも書いたとおりですが、古代から人類が世界を知り、よりよく世界をみて、よりよく生きるために積み重ねてきた叡智がリベラルアーツであるとすれば、何よりも大切なのは、その精神を受け継ぎ、自分自身のものとしていくこと。

一言でいえば「**リベラルアーツを生きる**」ということです。

リベラルアーツは、教育ではない。つまり、教えられるものでもない。リベラルアーツが教育カリキュラムではないとぼくが主張するのは、そのような意味です。

もしかすると、リベラルアーツは、独学でなければ習得できないかもしれない。自らの人生を歩むなかで、自ら学び、自ら考え、自らの身に染み込ませていくしかないからです。

では、そのために何をすればいいのでしょうか？

リベラルアーツを習得するための四つの方法

「リベラルアーツを生きる」ことが、リベラルアーツを習得することであるなら、そのためには、次の四つの方法しかないとぼくは考えます。

知ること
観ること
読むこと
考えること

この四つです。あまりにも単純と思われるかもしれませんが、この四つを、いつやるかが問題です。「いまでしょ！」は冗談ですが、この四つには際限がありません。つまり終わりがない。だから、いつまでにという限られた時間ではなく、生が尽きるまでの瞬間、瞬間を、ただただ実践しつづけること。これしかないと思います。

つまり、**この四つを「生きる」なかに組み込む**のです。

以下、ごくかんたんにこの四つにふれますが、大切なことは、この四つはばらばらに存

在するわけではないということ。それぞれがつながり、互いに補い、影響しあっていると
いうことを、どうか忘れないでください。

「知ること」について

　端的にいえば、**「知る」とは、自分がいかに「知らないか」に気づくこと**です。ありとあらゆる本を読み、この世のすべてを知りたいと猛然と勉学に励み、膨大な知識と知見を身につけた賢人が、あるとき、砂浜の砂を両手ですくいあげて、自分の得てきた知識は、この膨大な砂浜の砂の、たったこれほどにすぎなかったことをしみじみと知る。

　これが「無知の知」といわれるものですが、新世代の君たちには、まずその若さが何よりも貴重な資源であること、その若い頭脳でなければ知り得ないこと、できないことが数かぎりなくあること、そしてその若さという資源は、あっというまに失われていくことを、よくわかっておいてほしいと思います。

　『シン・ニホン』（ニューズピックス）の著者で、ヤフー株式会社チーフストラテジーオフィサーの安《あ》宅《たか》和《かず》人《と》は、彼自身が教鞭をとる慶應義塾大学ＳＦＣの学生と首都圏周辺の主要大学の学生と接していて、彼らがあまりにも「知らない」ことに驚いたことを列記してい

ます。

「歴史的な人物の多くをそもそも知らない」「知っていても遠く感じている」「当然、歴史上の一つひとつの課題や文脈も知らない」「自分たちとさして歳が違わない人たちが偉大な行為の多くを成しとげたことも知らない」（同書）など、など。

これらは、歴史と自分を結びつけることができない多くの若者が抱える問題点のひとつですが、「社会に生き、若者が未来を創っていくために、人間の物語を理解しておくことは大切だ。一つひとつの偉業は観念論的なものではなく、すべてリアルな課題を乗り越えることによって達成されたことであり、その実感と重さを想像することはきっと未来において彼らが何かを仕掛けるための大きな力になる」（同書）のです。

ここに「知ること」の重要なポイントがあります。さきほどの無知の知もそうですが、「知ること」とは「自分を歴史のなかに正しく位置づけること」でもあるからです。

世界をいかに正しく読み解き、未来への方向性を定めるか。

それらすべては「歴史を人間の物語として知ること」からはじまります。膨大な歴史の物語こそが、未来につながる唯一の道であることを「知ること」からはじまるのです。

「知ること」と「感じること」

「知ること」には、それまで知らなかったことを知るということだけでなく「視る」「聴く」「触れる」「味わう」「嗅ぐ」という、いわゆる五感を駆使して感じること、体験することも含まれます。

「知ること」とは、知識を暗記することではありません。何かを知るためには、まず「知ろうとする」想いを持ちつづけること。これが何よりも大切です。あたりまえですが、知ろうとしないのに知ることはできない。

そして「知りたい」という好奇心を呼び覚ますためには、まず「何か」を感じなければなりません。自分のなかに、どんなささいなことでも「ひっかかり」がなければ、それを不思議に感じることはない。つまり、自分のなかに「感じやすさ」のセンサーがあればあるほど、この「ひっかかり」は多くなります。

ただし、この感じやすさのセンサーを持つことは、じつはとても厄介でもあります。感じやすいために、どんな些細なことにも傷つき、どんなことにも心を痛める。その結果、心身がボロボロになってしまうようなことにもなりやすいからです。

だから、子どもが大人になるさまざまな過程で、いろいろなことを経験して、このセン

郵便はがき

料金受取人払郵便

神田局承認

6817

差出有効期間
2023年4月
5日まで
（切手不要）

101-8051

050

神田郵便局郵便
私書箱4号
集英社
愛読者カード係行

『集英社インターナショナル』
新書編集部用

お住まいの 都道府県	年齢　　歳 □男　□女

ご職業
1.学生［中学・高校・大学(院)］ 2.会社員 3.フリーター 4.公務員 5.教師
6.自営業 7.自由業 8.主婦 9.無職 10.その他（　　　　）

●お買い上げ書店名

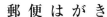

インターナショナル新書 愛読者カード

インターナショナル新書をご購読いただきありがとうございます。

今後の出版企画の参考資料にさせていただきますので、下記にご記入ください。それ以外の目的で利用することはありません。

◆お買い求めの新書のタイトルをお書きください。

タイトル（　　　　　　　　　　　　　　　　　　　　　）

◆この新書を何でお知りになりましたか？

①新聞広告（　　　　新聞）　②雑誌広告（雑誌名　　　　　　）　③書店で見て
④人（　　　　　）にすすめられて　⑤書評を見て（媒体名　　　　　　　　　）
⑥挟み込みチラシを見て　⑦集英社インターナショナルのホームページで
⑧ＳＮＳで　⑨その他（　　　　　　　　　　　　　　　　　　　　　）

◆この新書の購入動機をお教えください。

①著者のファンだから　②書名に惹かれたから　③内容が面白そうだから
④まえがき（あとがき）を読んで面白そうだから　⑤帯の文に惹かれたから
⑥人にすすめられたから　⑦学習や仕事で必要だから
⑧その他（　　　　　　　　　　　　　　　　　　　　　　　　　）

◆この新書を読んだご感想をお書きください。

＊ご感想を広告等に掲載してもよろしいでしょうか？
①掲載してもよい　②掲載しては困る

◆今後、お読みになりたい著者・テーマは？

◆最近、お読みになられて面白かった新書をお教えください。

サーを自ら壊してしまうか、隠してしまうことで、少しずつ「感じやすさ」を閉ざしていく。それが大人になることだと教えられる。でも、それは大きな間違いです。「知ること」は「感じること」でもあると語る有名な一言がこれです。

すべての人間は、生まれつき、知ることを欲する。その証拠としては感官知覚〔感覚〕への愛好があげられる。というのは、感覚は、その効用をぬきにしても、すでに感覚することそれ自らのゆえにさえ愛好されるものだからである。

（『形而上学（上）』アリストテレス著、出隆訳、岩波書店）

これは、アリストテレス『形而上学《けいじじょうがく》』の冒頭の一節ですが、この言葉にどんな深い「味わい」があるか。それは、君たちが人生を歩むなかでみつけてほしいと思います。「感じること」こそ、「知る」ための大切なきっかけです。

新世代の君たちは、どうか「感じやすさ」のセンサーを壊さないままでいてほしい。そして、ひとりひとりが「知りたい」という想いを生きるなかに組み込んでいく。それが、文化的な社会をつくるための、どれほど強力なエンジンになるか。

それは、これからふれる「観ること」「読むこと」「考えること」も同じです。

「観ること」について

「観ること」は、すでに「知ること」に含まれる「視ること」ではないのか？　と思われるかもしれませんが、ここでいう「観ること」とは「よく視ること」。つまり「観察力」のことです。

観察力とは何か？　有名な探偵シャーロック・ホームズと、同居人である友人のワトスンとの会話に、次のようなものがあります。


「（ワトスンに向けて）玄関からこの部屋へ上がる階段を、きみは何度も見ているね」

「ずいぶん見ている」（略）

「じゃあ聞くが、何段ある？」

「何段かだって！　そんなのは知らないな」

「（略）ぼくは十七段だということを知っている。見るだけでなく観察もしているからだ」

（「ボヘミアの醜聞」『シャーロック・ホームズの冒険』所収、アーサー・コナン・ドイル著、日暮雅通訳、光文社文庫）

観察力とは、たとえばこのようなことです。ホームズは、一日に何回も上り下りする自宅の階段を「観察」している。だから、ふつうに階段を上り下りするだけのワトスンに比べ、階段が何段あるか、どのような素材でできているか、汚れや傷はないか、昨日と変わったところはないかなどを知っている。「観察する眼」で階段を観ているからです。

この卓越した「観察力」は、いうまでもなく探偵としてのホームズの類い稀な能力のひとつですが、対象を集中的に観察することは、脳を最大限に活性化させることにつながり、「マインドアイ」すなわち「眼でみえないものを脳で観る力」を高めることになります。「よく視ること」の目的は、この「マインドアイ」の能力を高めることでもあるのです。

「眼でみえない世界をみる」ことは、直感力でもあります。論理的な思考に価値がおかれるようになったのは、近代になってからのこと。中世までは、理性や理屈はレベルが低いと考えられた。それよりも「インプレッション」つまり観た瞬間に物事の本質をつかむことが高度な知とされたのです。「インプレッション」の「プレス」とは印字すること。眼にみえない物事の本質は、空中を飛んでいて、それをパッとつかむ。そのようなものと考えられたわけです。

人類史上もっとも有名な絵を遺した画家であり、音楽、解剖学、光学、地質学、建築学、植物学、都市計画、武器の開発など、多彩なジャンルを縦断した天才レオナルド・ダ・ヴィンチは、まさに「観察力」と「マインドアイ」の卓越した実践者でもあります。

マインドアイについては、その存在が科学的に証明されつつあるそうです。今世紀に急激に発展した脳科学の分野では、脳の活動部位の血流変化を測定できるｆＭＲＩ（磁気共鳴機能画像法）によって、知覚における「眼」と「脳」の関係性も、かなり可視化されるようになってきたようです（『知覚力を磨く～絵画を観察するように世界を見る技法』神田房江著、ダイヤモンド社）。

逆に「よく視ること」をしない人は、とかく「眼にみえているものだけが世界のすべてだ」という感覚に囚われがちです。物事や対象をよく観ようとしないだけでなく、その物事の背後に何が隠されているのかを読み解こうともせずに、自己の視点を盲信し、他人の意見に耳をかさないような偏狭な性格は、じつは「よく視ない」ことからも形成されるのです。

「みえない世界を観る」ということ

「観ること」には、「みえない世界を観る」ことも含まれます。

二〇二〇年からの新型コロナウイルス騒動でぼくが痛感したのは、現代人が、いかに眼にみえないものに対して、これほどまでに無防備というか、無力なのかということでした。

第一部でみてきたように、古代ギリシャの「四科」も、古代中国の「六芸」も、古代リベラルアーツの根幹にあるのは、いかに眼にみえない世界とコンタクトするかということでもありました。それは、「みえない世界を観るわざ」でもあったわけです。

昔の人は、「みえる世界」のことだけではなく、「みえない世界」のことにも、現代人よりはるかに目を配っていました。ところが、化学や科学技術がはるかに進歩したはずの現代では、お金とか、容姿とか、モノとか、「眼にみえるもの」の価値にあまりに囚われすぎて、眼にみえないものに対して、まるで無感覚になってしまっています。

ぼくが、音楽とは何か？　という問いからリベラルアーツの扉を開いたことは、すでに書きましたが、音楽とは何かを問うことは、「音」という眼にみえない世界を問うことでもあります。そこでふと考えたのは、もしかするとウイルスと音は似ているということ。何をバカなと思われるかもしれませんが、理由はふたつあります。

ひとつは、身体中のどこにでも入っていけること。新型コロナウイルスの大きさは、わずか一万分の一ミリ程度ですが、それほど小さくても、基本的には口から上、つまり、鼻や眼の粘膜から体内に入っていくしかない。それに対して、音はもっと自由自在です。耳の鼓膜が受信できるのは、可聴周波数といわれる特定の音だけですが、それ以外にも、低周波・超音波という音は、それこそ毛穴からでもどこでも身体中に入っていける。ウイルスよりもはるかに強力なわけです。ウイルスがこれほどまでに瞬く間に世界中に蔓延したのだから、音がウイルスと比較にならないくらいにはかりしれない浸透力があるのは、容易に想像できるのです。

ふたつめは、ウイルスも音も生きているのではないか？　ということ。

ウイルス学研究者の山内《やまのうち》一也《かずや》の本『ウイルスの意味論』（みすず書房）には、ウイルスは「生命の定義を超えた存在」と書かれています。「分解された親から複製され、破壊されても蘇り、体を捨て情報として潜伏し、突然実体化する」（同書）。つまり、ぼくたち生物における生命の定義が、ウイルスにはまったく通用しないのです。

とすれば、ぼくたちの身体に入り込んで、感動を与え、生命や健康にすらに大きな影響を与え、ときには失った過去の記憶や情景さえをもありありと現出させてしまう音もまた、生きていないとどうしていえるのか。もし音楽家に問えば、彼らは間違いなく「音は生きている」と答えるはずです。

文明化された現代人の多くがすでに失った予知能力や自然とコンタクトする能力は、いまや文明から離れて暮らす民族や動物の方がはるかに優れています。リベラルアーツが教える「みえないもの」とコンタクトする意識に鈍感となったぼくたち現代人は、もしかすると、生物本来の危機管理能力が著しく低下してしまったといえるのではないでしょうか。

「読むこと」について

「読むこと」とは、人類の古典を読むこと。文学、詩、歴史、思想、哲学など、さまざまな古典がありますが、ありがたいことに古典とはすでに評価が定まっている本という意味でもあるので、どれを読めばいいのかは、はっきりしています。

なぜ古い本を読まなければならないのか？　新しく出た本を読むべきではないのか？「新しいものほどいい」という価値観に毒された現代的な感覚では、このように考えがちですが、ほんとうはむしろ逆で「読むこと」にかんしては、骨董の世界ではありませんが、極端にいえば古ければ古いほどいい。こういっても間違いとはいえません。

それほど「残っていること」には価値があります。時の流れのなかで人々の評価が定まったもの、つまり時間の流れに淘汰され、耐え抜いてきたという意味での古典は、はかりしれないパワーを秘めているのです。

ただ、ぱっと本を開いて、そのまま読んで何もかもがすっとわかるほど、古典の世界は甘くはありませんが、それでも「読むこと」という深遠な世界にあなたを誘ってくれる古典は、いつでもあなたを待っています。あとは、自分の「知りたい」センサーを働かせれば、それにひっかかる古典は必ず見つかるはずです。

まずは、それを手にとって読んでみる。大切なことは偏らないこと。西洋の古典を読めば、アジアの古典を読む。一〇〇〇年前の古典を読めば、一〇〇〇年前の古典も読んでみる。古典のいいところは、手軽に手に入りやすいことです。その佇まいはとてもやさしい。

でも、問題はここからです。あるとき偶然手にした一冊の古典を最初から丁寧に読み解いて、ようやく読みこなしたと思ったときに一生が終わる。もしかすると、読みこなせないままに寿命が尽きてしまうかもしれない。古典の世界とは、そして「読むこと」とは、それほどまでに奥深く、そしてオソロシイものでもあるということを、まずはよく心に刻んでおくことです。

そして、「読まなければならない」という意識を持たないこと。古典を読まなければ！　教養を身につけなければ！　という、まるで義務のような動機で古典を手にするのはやめた方がいい。教養は何かを得ようとして手に入るようなものではないからです。

見え透いた下心で手にできる教養など、たかが知れています。「読むこと」の世界は、ほんとうにオソロシイ世界で、何かを読めば読むほど、知れば知るほど、自分の知らない世界の巨大さ深遠さに愕然とする。そういうものです。労働者だろうが大学者だろうが、ひとりの人間が一生で身につけられる知識など、たいしたものではありません。

また、「読むこと」には、文字をたんに読むだけではなく「気配をよむ」「顔色をよむ」「空気をよむ」などの「よむ」も含まれます。たとえば対人関係でいえば、相手の話を聞くだけでなく、相手が何を望んでいるのかを相手の立場に立って「よむこと」も含まれています。

本を読むときも、自分の視座を離れて読んでみる。たとえば二〇〇年まえのドイツで書かれた本を読むとき、自分がまるでその時代のその場所に生きているような視点に立って読んでみる。口でいうのはかんたんですが、そのために身につけなければならないものは、あまりにも膨大です。けれども、これも「読むこと」の大切な姿勢のひとつです。

「考えること」について

「考えること」とは、大事なことを正しく考えること。これに尽きます。宇宙とは何か。社会とは何か。死とは何か。生きるとは何か。私とは何かなど、考えるためのテーマはいくらもありますが、大切なことは、この世がどう移り変わろうとも、変わらないテーマを選んでしっかりと考えていくことです。

ただ、考えるという生き方を貫くことは、けっしてかんたんではありません。ここでは「考えること以外に、私の人生があるとはまったく思わなかった」といいきり、まさに考えながら死んでいったひとりの日本人女性をご紹介したいと思います。

文筆家の池田晶子《あきこ》です。彼女には、ベストセラーとなった『14歳からの哲学―考えるための教科書―』(トランスビュー)から、絶筆となった『人間自身　考えることに終わりなく』(新潮社)まで、ざっと三〇冊ほどの著書がありますが、すべてが読むに値する本です。

たとえば、彼女は「考えること」をこう語ります。

普通、人は、「当たり前なこと」については、当たり前だと思っているから、あまり考えません。けれども、当たり前だからこそ、それがどう当たり前なのか、なぜそれが当たり前なのかということを、不審《ふしん》に思って考えることが、私の言うところの、哲学的なものの考え方です。（略）考えるとは、自覚するということです。考えて理解すると、「ああ、なんだ、だから当たり前なんだ」と納得《なっとく》できる。つまり、一回りして、また元に戻ってくるわけです。すると同じ当たり前が、当たり前として自覚できる。こういう自覚の構造ができあがるわけで、これが当たり前を生きることの強さです。それができるのは、われわれ人間の精神が、考えるという機能を持っているからに他ならない。せっかく考える精神を持っているのだから、使わないともったいないですね。

（『人生のほんとう』池田晶子著、トランスビュー）

ごく「当たり前」のことを「なぜ当たり前なのか？」と考える。ここに、正しく考えるという姿勢があります。「考える」とは何も難しいことを考えることでもなければ、難しく考えることでもない。

たとえば、「人生」という言葉をどうイメージするか？　ふつうは生きて死ぬまでの生活のあれこれを想像します。でも、池田はそうは考えない。「人生はそれだけではないのです。そのことだけでは決してない。そういうことに気がついてみると、人生は完全に変わります」と彼女はいいます。どういうことか？

「人生」は「人が生きる」と書きますが、「生きている」とは一体どういうことか？　というふうに考える。「人生とは何か」という問いを「生存とは何か」「なぜ、ここに在るのか」と考えるのです。「人はなぜ生まれてきたのか」「なぜ自分はここにいるのか」など、存在するということの不思議に気づく。「あっ」と驚く。それを池田は「存在の謎」と呼びます。

「よく考えると、生きると死ぬは対にならないことに気がつくわけです。生に対して死があるのではない。言い換えれば、生きている、生存している、つまり存在しているということしか、われわれは知らない。なぜならば、無としての死は、存在しないからです。（略）なぜ在ることとしかないのか。それはいったい何なのだ。存在とは何か。とんでもないことです」（同書）。このように彼女の考えは続きますが、そこには「なぜ？」や「わからない」という躓《つまず》き、すなわち「知りたい」という衝動がすべての出発点にあります。

だからとにかく大事なことは、君が、「知りたい」という気持ちを強くもっているということ、ただそれだけだということです。あれらの立派な哲学者たちだって、考え続けていた理由はそれに尽きるのだから、その意味では全く同じなのです。

(『14歳からの哲学』池田晶子著、トランスビュー)

正しく考える　世界の正体を見抜くということ

正しく考えるという「習慣」を身につけて、いまの世の中にあふれかえる嘘やまやかしを見抜くことができるようになると、さまざまな移ろいゆくものに振り回されることなく、その背後にあることがみえてくるようになります。つまり、正しく考えることとは、ややおおげさにいえば、世界の正体を暴くことでもあるのです。

世界の正体などといえば、まるで陰謀論みたいですが、たとえば、身近な「お金」を例にとってみましょう。なぜぼくたちは、それ自体には何の価値もない、たんなる紙切れにすぎない紙幣を「一万円」や「五〇〇〇円」と認めているのでしょうか?

それは、ぼくたち共同体の構成員全員が「この紙切れには一万円という価値がある」と信じているからにすぎません。つまり、フィクションなのです。

それは、ぼくたちが信じている共同体や国家そのものがフィクションであることにつながってきます。共同体とは、つまるところ個人と個人の集まりで、それ以外にはありえません。ところが、個人と個人を超えたどこかに共同体のようなものがあると思い込んでいる。これが、フィクションなのです。共同体は、個人の集まりでしかないとすれば、共同体という存在は、個人がそのように「思い込む」以外のどこにも存在しないということになるのです。

この手の思い込みは「刷り込み」とも呼ばれてかなり強力で、そこから解き放たれるのはとても難しいのですが、社会も、国家も、そのような仕組みは、人間が生きていくためにつくられたフィクションにすぎないという「国家の正体」に気づいてしまえば、そこからつくりだされるあらゆる嘘やまやかしに踊らされることなく、よりよく生きることはどういうことかを、冷静に考えられるようになってきます。

ただ、それはひとつの「気づき」にすぎません。ここから逆に個人とは何か？まで遡ると、今度は「私とは誰か？」となる。この私を「私」と呼ぶものは一体誰だ？というところに行き着くのです。

鏡に映る自分を自分とみているのは誰だ？

なぜ自分とは「自」ずから「分」かれると書くのか？

そこまでくれば、あとは、宇宙も、森羅万象も、すべては自分のなかに「ある」ものにすぎない、というところにたどりつく。それを池田は「自覚」という言葉で語ります。

本当は誰でもない。非人称であるゆえにすべてであるところの、この何ものか、それがこの某《なにがし》をやっているのだ、と自覚できることになります。一回りしてきて、自覚できるわけです。やはり自覚に尽きると思います。虚構を見抜くということは、裏から言うと、自覚するということなのです。自覚することにより虚構を見抜くということが、見抜くというそのことなのです。方法というか、自分が自分である、何ものでもない自分であるということを手放しさえしなければ、あらゆる虚構を見抜いていくことができるはずです。

（『人生のほんとう』池田晶子著、トランスビュー）

「考える」ことは「生きる」こと。これがみえてくれば「リベラルアーツを生きる」という意味もきっとつかめるはずです。

人生を「遊び」にしてしまう

ここまで、リベラルアーツを習得するための四つの方法として「知ること」「観ること」「読むこと」「考えること」を挙げましたが、何よりも大切なことは、これら四つを「勉強」というよりも「遊び」にしてしまうこと。つまり、自分の興味のままに任せておくことです。

知識という娯楽は飽きがこない。知るべきことは無限にたくさんあるから。(略)楽しみと結びついた知識の働きは検索で代替できない。

(『教養の書』戸田山和久著、筑摩書房)

誰もが自身の子ども時代を思い浮かべてみるとわかりますが、あることに興味を抱き、それに夢中になってやっている子どもには「勉強」も「遊び」も関係ありません。**「勉強」と「遊び」の違いはそもそも存在しない。大人や教育者たちが「勉強」と「遊び」のあいだに勝手に境界線を引いてしまっただけ**なのです。

勉強としての「知ること」「観ること」「読むこと」「考えること」には、「これを知っていなければならない」とか「ここまでを知らなければならない」という義務や強制のニュアンスが含まれますが、子どもは、ただ観て知りたいから学び、読みたいから読み、不思議だから考える。それだけのことです。そこに「勉強」も「遊び」もありません。

それが「遊び」としての強さでもあります。楽しみには際限がありません、自分の知らない世界がみたいという好奇心。新たな視点を開きたいから読む。あることが不思議だ、なぜだろう？　もっと知りたいという探究心。その好奇心や探究心がエンジンとなって「知りたい」「観たい」「読みたい」「考えたい」を加速させるのです。

大人たちは、その純粋な好奇心や探究心をむしろ子どもから学ぶべきです。子どもたちは、その純粋さをけっして手放してはいけません。新世代の君たちならば、まだまにあいます。**「勉強」と「遊び」に線を引いてしまう大人になるまえに、君たちは「人生を遊ぶ」ことのかけがえのなさを、見失ってはならない**のです。

「無邪気」という最強のパワーを子どもから学ぶ

人生を遊びつづけることとは、子ども心を失わないということでもある。それはあらゆる常識や固定観念から自由でいるということ。すなわち「無邪気」であるということです。

子どもといえば、まずは「無邪気」という言葉が思い浮かぶほど、ありふれた言葉に思えますが、この「無邪気」こそ、経営者やリーダーに求められる「究極の力」の源泉であると主張するのは「運気」にかんする著書で知られる田坂広志《たさかひろし》です。（『運気を磨く』『運気を引き寄せるリーダー』田坂広志著、光文社新書）

東京大学で原子力工学を学び、科学的思考と唯物論的思考を身につけながらも、ビジネスと経営の分野でさまざまな危機と逆境を体験して「運気」の存在を認める人生観に辿りついた田坂は「危機や逆境において経営者やリーダーに求められる『究極の力』とは『運気を引き寄せる力』である」と断言します。

「優れた経営者は、例外なく運が強い」ことを、多彩な経営者に接して確信した彼は、人生において「良い運気」を引き寄せる古今東西唯一の方法は「ポジティブな想念を持つ」ことに尽きるといいます。つまり肯定的であること。これが「我が辞書に不可能の文字はない」という超ポジティブ人間だったナポレオン・ボナパルトをはじめ、昔から「強運」と呼ばれた人物の誰もが信じ、実践してきたことだと彼はいいます。

ただ、「ポジティブな想念」を持つことは難しい。田坂によれば、それは「心の双極的性質」があるからです。どれほど心の「表面意識」の世界で「ポジティブな想念を持とう」と強く思っても、同時に心の「無意識」の世界に、ネガティブな想念が生まれてしまうこと。これが「心の双極的性質」です。

では、どうすればいいのか？　ただの「肯定的な想念」ではなく「絶対肯定の想念」を持つこと。わかりやすくいえば「ポジティブしかない」想念の状態です。そして、その心の状態を持った人間がすぐ身近にいるではないか、それが子どもだ、と田坂はいいます。

子どもが持っている「無邪気」は、心のどこをみても「邪気」がない、つまり「ネガティブな想念」「マイナス理念」「否定的な想念」がない状態。これこそが、運気を引き寄せるための最強のパワーとなる。つまり「強運」を持つ人物とは、大人になっても子どもの無邪気さを失わない人のことなのです。

「ネオテニー」という生物学の進化理論があります。これは「幼形成熟」と訳されますが、ごく大雑把にいえば、生物の進化は能力の継承によって少しずつ進むのではなく、子どもの状態を保ったまま大人になったときに、進化が起こるという説です。

子どものままでいること。これは現代社会においては、不可能に思えるほど困難ですが、たしかに子どもたちの無邪気さや好奇心、探究心などが、もしそのまま八〇年の人生に持続されるとしたら、人類の歴史はまったく違ったものになっていたはずです。

第三部　リベラルアーツを活かす

第一一章　未来をつくるために①
——芸術を文化にする

ぼくがいま取り組んでいる三つの活動

いよいよ第三部です。ここからは、新世代の君たちが「生きるに値する未来」をつくるために、何を目指していくべきか？　を、じっさいのぼくの活動と重ねあわせながら考えてみたいと思います。生きるに値する未来をつくるために、やらなければならないことは、そのためのモデルを考えること。それをぼくは「未来型の文化的な社会」と呼んでいます。

リベラルアーツの精神をいかに次世代に伝えるか？　という観点から、ぼくはいま、次の三つの活動を実践しています。

一、芸術を文化にする

二、「教養」から「共養」の時代へ

三、これからの公共は市民の手でつくる

この実践によって、文化・芸術を通して次世代にリベラルアーツの精神を伝え、それが「未来型の文化的な社会」につながると信じて、ぼくは活動をしていますが、そこには、これまでの社会が依存してきた三つの価値観「文明」「教養」「大衆」に対する疑念があります。これをあらためて問い直すことで、新世代にとってより生きるに値する未来がみえてくるのではないか？　その考えが、この三つの活動の根底にあります。

ここから三章にわたって、いま、ぼくが取り組んでいることを例に、何を考え、どのような想いでこれらの活動に取り組んでいるのかをご紹介してみたいと思います。

芸術を文化にする

まず、ひとつめは「芸術を文化にする」活動です。

いま、日本の音楽・演劇・バレエなどの舞台芸術は、どういう状況になっているかといえば、ファンの高齢化や観客離れなどによって、せっかく全国にすばらしい劇場をつくっても、舞台芸術はいまや一部のファンと関係者だけのものになってしまっています。その

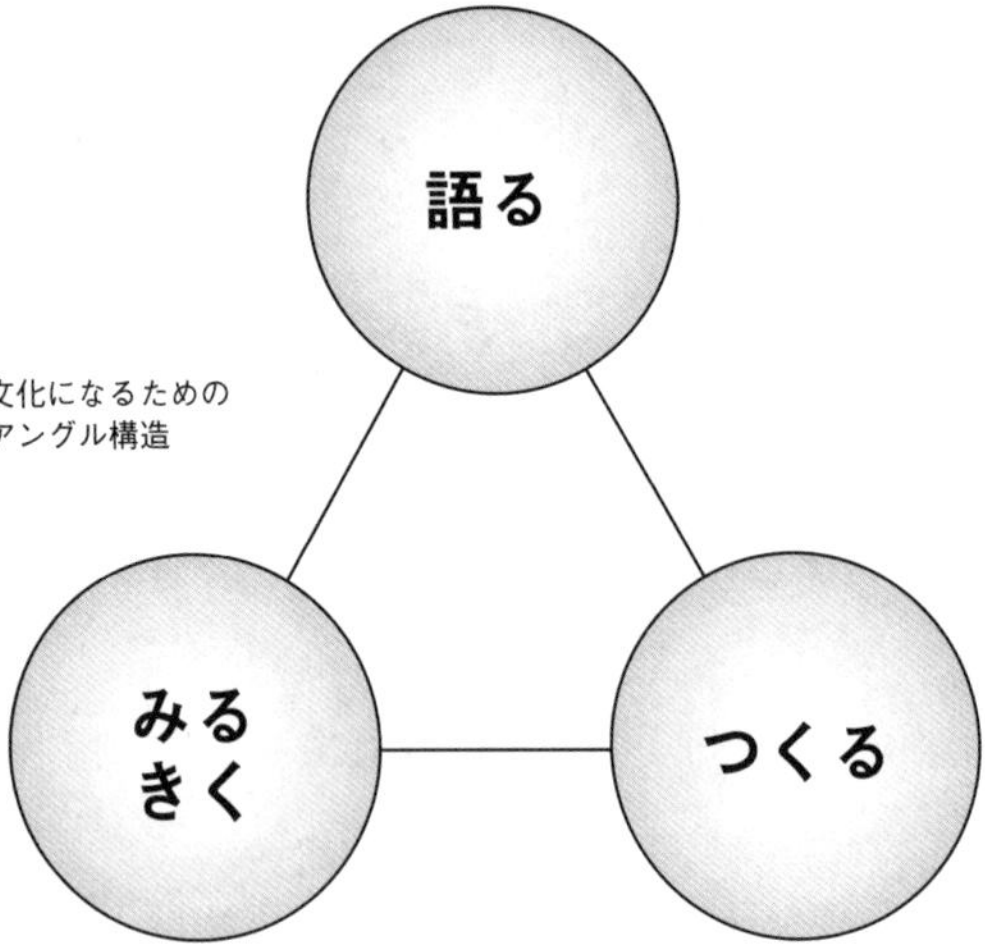

芸能が文化になるための
トライアングル構造

傾向は、このコロナ禍にあって、劇場の閉鎖、相次ぐ公演中止や「三密を避ける」行動パターンの定着などによって、その地域の文化・芸術拠点であったはずの劇場から、ますます人々を遠ざけているのが現状です。

ただ、この「劇場離れ」の傾向は、たとえ新型コロナウイルスのような災難がやってこなくても、変わらなかったと、ぼくは思っています。

なぜ、このようなことになったのか？　ぼくは、日本の西洋由来の芸術が、芸術でありつづけようとして、日本の文化として根を下ろすことをおろそかにしてきたからだと思っています。上図をご覧ください。

日本文化に根を持たない西洋由来の芸術が

日本の文化として定着するためには、この三つが互いに連動しあわなければならないといわれています。ところが、音楽にせよ、美術にせよ、演劇にせよ、西洋由来の芸術に対する日本の文化行政は、ずっと「みる・きく（鑑賞事業）」と「つくる（作曲・演奏・舞台制作などの創作）」だけを重視して、ふたつをつなぐはずの「語る」がまったく抜け落ちていたというのです。

音楽や美術のような抽象度の高い芸術は、それを理解するためには丁寧に言語化していく作業がどうしても必要になります。「文」章「化」することで、はじめて文化として根を下ろすのです。ましてや、日本古来の文化に根を持たない海外で生まれた文化・芸術であれば、とりわけその国の文化やそれが生まれた時代背景、風土民族や他の文化とセットにして理解しなければ、浸透しない。ただ音楽作品、絵画作品をそれらが生まれた風土から引き剝がして日本に持ってきただけでは、どうにもならないのです。

「文化」とは何かをあらためて考えてみる

ぼくが「芸術を文化にする」ことにこだわるのは、**一部の限られた愛好家のものである芸術のもつエネルギーを文化にできれば、数え切れないほど多くの人々がよりよく生きる**

社会をつくるためのエネルギーになり、それを地に根づかせ、次世代に継承できると考えるからです。

では、そもそも「文化」とは何でしょうか?

「文化」はあまりにも広く深い概念ですが、ここでは、ごくかんたんにおさえておきます。

日本語の「文化」の語源は、中国由来の「文治教化」。すなわち、刑罰威力を用いずに文によって民を教化することを意味します。ほかにも、あらゆる物事や眼にみえない事柄を言語化していくこと、「文」章「化」していくことなど、「文化」という言葉の意味するところは幅広いものがあります。

年号としての「文化」は、江戸時代後期、西暦では一八〇四年から一八年にあたる時期で、のちの「文政」と合わせて、文化・文政時代と呼ばれます。

近代以降は、英語の「カルチャー」に相当する翻訳語としての「文化」がふつう用いられますが、これは、大正時代に、ドイツ語の「Kultur」から日本に導入されたもので、西欧語の「カルチャー」は「耕す」「培養」などの意味を持つ言葉です。「文化」が「耕す」という言葉からきているというのは、「未来に花を咲かせるために種をまくこと」「未来のために耕すこと」を現代における文化の目的と考えると、わかりやすいかもしれません。

文化とは「土を耕す」こと

文化を「耕すこと」とするならば、すべての出発点は「土」にあります。ぼくたち陸に生息するすべての生命は、忘れられがちですが、土がなければ生きられません。

では、土とは何か？

作家の星野智幸は著書『植物忌』（朝日新聞出版）のなかで「土は、生きている微生物や虫と、枯れた植物の体や虫の死骸、排泄物、それに鉱物などの無機物からできている。生死が渾然《こんぜん》一体に混ざって区別のつかない、生きていることと死んでいることのトワイライトゾーンだ」と、いかにも作家らしい表現をしています。

土は、生命を育むだけでなく、あらゆる文明の寿命を決定するほどの役割を担っていると主張するのは『土の文明史』（片岡夏実訳、築地書館）の著者デイビッド・モントゴメリーです。「ざっとみれば文明は束の間である――発生し、しばらくは栄え、衰える」「かつて繁栄した文化が終末を迎えた原因として、歴史学者は多彩な容疑者を挙げる。例えば病気、森林破壊、気候変動などだ。（略）しかし社会と土地との関係（略）も、文字通り基礎的なものである。土地が支えられる以上に養うべき人間が増えたとき、社会的政治的紛争がくり返され、社会を衰退させた。この泥の歴史は、土壌の扱いが文明の寿命を定めうることを暗示している」と彼は書いています。つまり軽視されがちな「土地」こそが、じつは文明の寿命を決めているというのです。

土（humus）から人間（homo）は生まれ、そして、死ねば土に還る。

すべての生物は「死んで土に還る」といいますが、ラテン語の「人間（homo）」が「土（humus）」と同じ語源を持つ言葉であるように、命の生死が渾然一体となったものが土だとすれば、人間にとって哲学上の最大の謎である「生と死」の問いの答えは、文化としての「土」のなかにあるのかもしれません。**土は人類の文明の寿命を支配し、生死の世界を包み込む、まさにすべての文化の根源であり、文化の土台でもある**のです。

ところで、ぼくは「ブラタモリ」というNHKの番組が好きでよく観ますが、主役のタモリがさまざまな土地をめぐり歩くなかで、彼がよく口にする「土地には記憶がある」という言葉がとても印象に残っています。たとえ時代が変わり建物が変わろうとも、土地には記憶があり、それをとどめている。

土地に記憶があるように、文化にも記憶がある。

日本には「俳句」という優れた文化があります。わずかな文字数のなかに独自の世界観・宇宙観の広がりを表現する俳句が、いま世界で注目されているのはなぜか？『芭蕉

の風景 文化の記憶』（角川書店）の著者ハルオ・シラネによれば、それは「（俳諧の）風景は（略）文化的記憶（cultural memory）の貯蔵庫」であるから。土地に記憶が残るように、言葉にも記憶が残る。それが、文化なのです。

「文化」とは？「文明」とは？

人は土から離れては生きていけない――。この言葉が「文化とは何か」をもっとも的確にあらわしているように思えます。

ここからは、あえて「文化」と「文明」を対比させてみたいと思います。どこか似たような意味で用いられているこのふたつの言葉を比べてみることで、文化とは何か？がより鮮明に浮かびあがってくると思えるからです。

「文化」とは、土に向かおうとすること。
「文明」とは、土から離れようとすること。

ぼくは「文化」と「文明」について、このような考えを持っています。陸に生きるすべての生命の営みの基盤が「土」「大地」であり、文化はそれを「耕す」ことから起こるのであれば、土から離れては文化そのものも成立しないといえるのです。

人はとかく、美しく咲く花そのものに目を奪われがちです。けれども、その美しい花は、茎がそれを支え、その茎がしっかりと土に根を下ろしているからこそ咲けるのだということを忘れてはならない。**「文化」とはそのように「土に根を下ろし」て「花咲く」ものであり、土とともに生きることだ**と、ぼくは思います。

けれども自然や土は、人間や生命を育み、養ってくれるだけではありません。自然の力はあまりにも強大で、ときに暴力的であり、台風、地震、津波など、牙をむいた自然の脅威のまえに人間など無力であることを、ぼくたちはいやというほど知っています。

緑の美しい草むらでさえ、肌を傷つけられ、虫に刺される。これも自然なのです。自然の脅威からいかに身を守るか。かつて人類は、土で住む家をつくりました。それが木になり、コンクリートとなり、鉄になっていった。このようにしてどんどん土から離れていくことが、文明の進化でもあった。大地を疾走し、土から離れて大空を飛び、ついには地球からも離れて宇宙空間を漂う。テクノロジーと結びついた「文明」は「土から離れて生きる」ことを意味する言葉でもあったのです。

「文明が土から離れる」とはいっても、古代文明の時代は、まだコンクリートも鉄もなく、土や木だけだったではないかと思われるかもしれませんが、それでも人類の文明は「バベルの塔」や「ノアの方舟」など、より高く、より遠くへを目指しました。それも土から離れるということです。それに、より速く、より多くが加わって、近代文明になっていく。

人間が快適に暮らすために、あえて「土」から離れて生きることを必要とした。自然から生きるための糧を得て、自然や環境をたとえ破壊するものであっても、人類は「土とともに生きる文化」と「土から離れて生きる文明」というふたつを必要としたのです。

宮崎駿《みやざきはやお》監督の長編アニメ映画『天空の城ラピュタ』に、「文化」と「文明」を対比させた象徴的なシーンがあります。高度な文明とテクノロジーによって、かつて天空から地上を支配した空に浮かぶ要塞都市ラピュタは、なぜ滅亡したのか？　その理由を、主人公である少女シータが、このように訴えるシーンです。

「今はラピュタがなぜ亡びたのか、私、よくわかる。ゴンドアの谷（少女が生まれ育った故郷）の歌にあるもの。土に根をおろし、風とともに生きよう。種とともに冬を越え、鳥とともに春を歌おう。どんなに恐ろしい武器を持っても、たくさんのかわいそうなロボットを操っても、土から離れては生きられないのよ!」

（映画『天空の城ラピュタ』）

シータは、ラピュタを支配した王族の末裔でした。彼女の祖先は文明だけを発展させても土から離れては人は幸せに生きられないことを悟り、テクノロジーの要塞であった天空の城を捨てて、王族である証を封印してまで土とともに生きることを選び、その教訓を歌にして子孫に伝えていたのでした。

この天空の城ラピュタを「文明の象徴」とし、土に根を下ろし、風とともに生きることを選んだラピュタの王族を「文化の象徴」としてみれば、あらためて「文化」の重要性が浮かびあがってくるのではないでしょうか。

「文化」と「文明」のどちらもが人類に必要であることはいうまでもありませんが、現代社会の諸問題は、人類があまりにも「文明」に走り、それを経済活動に結びつけて加速させてしまったために、「文化」とのバランスを忘れてしまったことにあるのではないか。

文明は生活を便利にするが、文化は人を豊かにする。それを忘れてはならないと思います。

ぼくが「芸術を文化にする」ことにこだわるのは、以上の理由からです。

音楽を「言葉で」感じるということ

そこでいま、ぼくが数々のアーティストとともに全国の劇場で取り組んでいるのが「語り」の要素を加えたコンサートです。「トーク&コンサート」といえば、一部のクラシック・ファンからは「邪道」といまも冷たい眼でみられますが、それでも続けてこられたのは、たんなる司会付きのコンサートではないからです。

演奏される作品の時代やテーマに沿った歴史や、他の芸術ジャンル（音楽と美術、音楽と文学、音楽とグルメなど）との境界線を越えて、他の芸術とともに立体的に文化・芸術の理解を深めるような企画です。

たとえば、日本を代表するソプラノ森麻季《もりまき》さんとの「音の美術館」というプロジェクトは、イタリア絵画と音楽、日本絵画と音楽という「美術と音楽」のコラボレーションですが、この企画のねらいは、たんに美術と音楽を同時に楽しむということだけでなく、その背後にある歴史や文化を立体的に体験できるところにあります。そのため、トークでは、曲や絵の解説ではなく、たとえばルネサンスがどういう時代だったのか？　とか、なぜ浮世絵が江戸で流行したのか？　など、芸術が生まれた時代背景や、そこに暮らした人々の思いや暮らしが浮かびあがるような工夫をしています。

ほかにも、文学と音楽、音楽とグルメを組み合わせたものとか、音楽と地域の特産品と結びつけた「静岡のお茶クラシック」とか、アプローチの方法はいくらでもあります。

ここからは、この章のまとめです。

「芸術を文化にすること」で、次世代に何がもたらされるのか？ **ひとりひとりが芸術と文化の体幹を身体のなかにつくることで、自分の眼で物事をみて、自分の足で世界を歩き、自分の頭で判断し、自分の言葉で語ることができるようになると、ぼくは考えています。**

第一二章　未来をつくるために②
——「教養」から「共養」の時代へ

教養がビジネス化した時代

ふたつめは、「教養」から「共養」の時代へ、です。「共養」とは聞き慣れない言葉かもしれませんが、じつはぼくの造語です。なぜこの言葉をつくったかといえば、これからは、もはやこれまでのような「教養」を求めていく時代ではないと確信しているからです。

いま世の中は「教養」という言葉にあふれています。テレビ番組のタイトルにもあれば、書店には「教養」をタイトルに付けた本がいくらでも並んでいます。典型的なタイトル例をいくつかあげてみると『ビジネスに役立つ教養としての○○』『トップ・エリートになるための○○の教養』『一億円稼ぐための教養』などなど。あるわあるわ。まるで「この一冊の本で教養は簡単に身につく！」とでもいいたげな宣伝文句が並んでいます。日本人はここまで教養好きなのか？　と疑ってしまうほどです。

どうしてこのようなことが起こるのか？

理由は簡単。「教養」はビジネスになるからです。「教養」という魔法の言葉には、向上心だけでなく虚栄心もくすぐる魔力があります。それは、ある種の「権威」がこの言葉に付着しているからです。それはまるで、ある種の呪いの言葉とさえ思えるほどです。何をおおげさな、と思われるでしょうか。でも「言霊」を持ち出すまでもなく、言葉には人を縛り、呪う力があることは、文字と言語と宗教の歴史をみればすぐにわかります。

「教養」という言葉には、そのような権威が付加されているからこそ、いま列記した「教養ビジネス本」がずらりと書店に並び、教養がビジネス化するという現象が起きているのです。

「教養」時代の危機

では、これらの本を読んで、ほんとうに「教養」が身につくのか？　答えは「ノー」です。そもそも教養とは、そのようなものではないはずです。「エリートになりたい」とか「一億円稼ぎたい」とか、そのような目的を達成するために教養があるわけではない。実際に、エリートと呼ばれる人や一億円を稼ぐような人のなかには、教養のない人はいくらでもいます。むしろ教養など、金を稼ぐのに邪魔なだけだと信じている人も多いはずです。

ぼくが好きな言葉に「金を稼ぐのに教養はいらないが、金を使うのには教養がいる」という名言があります。それをぼくに教えてくれたのは、フランスで知りあったユダヤ系フランス人の富豪たちでした。彼らがなぜか口を揃えて語ったのは「活きたお金を使う難しさ」でした。彼らはいいます。もし教養のない人が莫大な金を手にすれば、使い道は知れている。贅沢三昧の暮らしをして高級ワインや料理に囲まれて高級車を乗り回し、豪邸と別荘を買い、大型クルーザーと自家用ジェットを買って、せいぜいそこまで。金持ちになれば人は集まるが、それは彼の魅力ではなく金に群がっているだけ。まるで残飯にハエが集《たか》るようなものだ。その証拠に金がなくなれば嘘のように消え去ってしまう、と。

さきほど列記したような「教養ビジネス本」の多くは「金持ちになりたい」「成功したい」という欲望を「教養」という言葉で刺激しているだけです。それを読む人の目的はあくまで「成功したい」「金持ちになりたい」ということであって「教養」を身につけることではない。つまり、それらの本を読む多くの読者にとって教養などどうでもいいのです。

目的は何であれ、何かを得たいという下心によって身につける教養などたかが知れているとまえにも書きましたが、教養は金を貯めるように、知識を溜め込むことで身につくものではない。たんに知識を積み重ねていくことが教養ならば、全人類の教養はとっくにAIに追い抜かれています。それに気づいていないのは人間だけなのです。

もはや教養の時代ではない

これまでの日本社会における教養とは何か？

一言でいえば、競争社会を生き抜くための教養です。誰かの優位に立つための教養といってもいい。社会的地位や収入が、まるで教養の有無によってランク付けされるような社会。点数によって順位をつける教育システムの延長線上にある、数字によって優越をつけるための教養。そのようなものは、これからはもはや意味がないといえます。

これまでの社会は、とにかく**みんなが走る競争社会のなかで強い人が勝つと考えられていた社会**です。また、**個別の領域でのスペシャリスト（専門家）が力を発揮した社会**でもある。けれども、**そのような人材に、もはや低迷する日本の現状を変えるパワーはありません。**

これについては、第二部でも登場した『シン・ニホン』の著者、安宅和人が「価値創造においてこれまでとは真逆の世界が来ていることを直視しよう。量的拡大のハードワークができるスケール型人材を生み出すことだけに注力してきた日本の人材育成モデルは、根底から刷新が求められている」と指摘しているとおりだと、ぼくも思います。

これまでの教養人のモデルとされてきた豊富な知識を要する「知識人」を、安宅は「日本の教育システムが生み出す最高の人材は、テレビ番組でクイズ王になる、教育評論家や予備校講師になるぐらいしかないという残念なことになってしまう。世界の同世代の若手リーダーが刻一刻と未来を変えていっているそのときに、だ」と痛烈に批判しています。「詰め込み型知識偏重」の日本型教育システムは、もはや崩壊しているのです。

では、どうすればいいのか？「これからは誰もが目指すことで一番になる人よりも、あまり多くの人が目指さない領域あるいはアイデアで何かを仕掛ける人が、圧倒的に重要になる」「1つの領域の専門家というよりも、夢を描き（＝ビジョンを描き）、複数の領域をつないで形にしていく力を持っている人が遥かに大切になる（同書）」。

そのためには、これまで「教養」という言葉に縛られてきた社会そのものが、その呪縛から解き放たれる必要があります。つまり、**これまで常識とされていた日本の「教養」の意味が大きく変わる転換期に、いま、ぼくたちは立っている**といえるのです。

これからは「教養」ではない。「共養」の時代だ！

では、これからの「教養」はどうあるべきか？

ぼくは「教養」という言葉のもつ本来の優れた意義や、それを必要とした時代があったことを理解したうえで、この言葉はそろそろ歴史的な役割を終えるべきではないかと考えます。このようなことをいえば、おそらく古風な「教養主義者」から猛烈に批判されるでしょう。でも、その多くは「教養」をビジネスの道具（または自分の利権）にしている人か、「教養主義」に洗脳された、ぼくたちあわれな旧世代の人間なので、新世代の君たちは気にすることはありません。

もういちどいいます。**もはや、これまでのような「教養」を求めていく時代ではない。新世代の君たちは「教養」という言葉にこびりついた垢を洗い流し、未来に向けた新しい概念を構築すべきとき**です。

これからは「教養」ではなく「共養」が求められている。

その想いで、ぼくは「共養」という新しい言葉をつくりました。

「教」の代わりに「共」の文字をあてたのは、エリート主義の悪しき象徴や、教養ビジネスの餌と化した「教養」が、もっと未来を向いた利他の精神とともに、みんなで知を

「共」有し、支えあい、ともに「養」える社会になってほしいという願いが込められています。それとともに、これからの教育は、「教える教育」から「教えない教育」に向かうべきだという主張から、あえて「教」の文字を排除したいという想いもあります。

リベラルアーツが変える未来の教育

「二一世紀は、『答えのない世界です』。だから『教える』という概念もなくなる」。こう語るのは、経営コンサルタントで起業家の大前研一です。彼によれば、デンマークやフィンランドなどの教育先進国では、はやくも一九九〇年代半ばから「教えない教育」に切り替えたそうです。これらの国では、答えがない問いをクラスの全員が意見を出しあい議論しながらひとつの意見にまとめていく。その際に必要とされるのがリーダーシップ(統率力)で、これはAIでは置き換えられない能力で、AI時代のいまだからこそ身につけておくべきだといいます。

リーダーシップを発揮するためには、IQ(知能指数)よりも、EQ(心の知能指数)が必要視される。そして、そのEQを高めるために欠かせないのが、歴史、哲学、文化、芸術などの教養、すなわちリベラルアーツだと大前は主張するのです。

専門教育を重視する日本の大学と比較して、教養教育を重視するアメリカ合衆国の大学のなかでも、とりわけ専門的なイメージがあるマサチューセッツ工科大学（ＭＩＴ）の文化系学部を総括するある教授は「ＭＩＴの学部では、最先端の科学なんてほとんど教えない。最先端といわれているものは四～五年で陳腐化してしまうから。それよりも、自ら何かを創り出すための基礎能力の方が大事だ」と語っています。

教育後進国といわれる日本の現状はどうでしょうか？

東大生のような日本型のエリートは、与えられた問題に「解答」を見つける能力は受験戦争で徹底的に鍛えられたために優れていますが、たんに答えを見つけ出す能力を競うだけでは、これからの時代は、もはやＡＩには太刀打ちできないのは明らかです。ところが、まだＡＩにはできないことがあります。それは、創造的な「問い」を立てること。自ら問いを立てる能力は、まさにリベラルアーツによって身につけられる能力です。

つまり、その能力があれば、ＡＩを使いこなす側に立てるということです。

教える教育から、教えない教育へ

あるアメリカのドラマで印象的なシーンがありました。エリート医学生たちの最初のクラスで、ある指導教官が学生の持っていた教科書をゴミ箱に放り投げて「こんなもの役に立たない。すぐ捨てろ！」と一喝するというシーンです。

学校から教科書が消えてなくなる日。

そのような未来は、もう眼のまえに迫っています。そのとき、いまのような凝り固まった日本の教育制度は、どうやってその未来に立ち向かっていくのでしょうか？

学校から教科書が消えてなくなるということは、学校から教師がいなくなるということでしょうか？　イエスでもあり、ノーでもあると、ぼくは思います。

これまでのような、数学、国語、物理の教師という、いわゆる専門分野だけの教師は、もはや歴史的な役割を終えています。クラスの全員が意見を出しあいながら議論を深めていくというフィンランドなどの授業スタイルは前項で書きましたが、これからは、このような授業をリードしていくスタイルの教師が必要とされるはずです。

その**未来型の教師が備えるべき資質とは、全方位にわたって深い知見とバランス感覚を備え、生徒ひとりひとりの声に耳を傾け、教えるという態度ではなく、生徒を正しい議論の方向に導くという統率者としての教師。**すなわち、**世界を読み解く視点とともに、世界を語る言語でもあるリベラルアーツの精神を身につけた教師**ということになります。

二〇世紀初頭に、イタリアの医学博士で幼児教育者でもあるマリア・モンテッソーリが開発した「モンテッソーリ教育」というユニークな教育法があります。日本では「英才教育」「エリート教育」として理解されていますが、その本質は、子どもがやりたいように、好きなことをさせているところにあります。つまり、子どもに大人の型をはめない教育法ともいえるのです。

教える教育から、教えない教育へ。

「教養」から「共養」への流れは、教育システムを大きく変えることになると、ぼくは思っています。「教える」ことはあえてしないが、子どもがみずから「学ぶ」ための気づきを与える。未来の教師に求められる「教える教育から、教えない教育へ」の転換は、「共」に「養う」という姿勢から生まれるのではないでしょうか。

世界の一流芸術家から学ぶ「創造力」の原点

いま、ぼくは世界の一流芸術家を日本に招いて、若者と交流する事業を行っていますが、そのとき、なるべくレッスンとか授業だけではなく、できるだけその芸術家と寝食をともにして、普段着の芸術家の姿から何かを学んでもらいたいという姿勢でやっています。

教えるのではなく、導く教師。「教える」ことはあえてしないが、若者がみずから「学ぶ」ための気づきを与える。未来の教師に求められるのは、このような姿勢ではないか、と考えるからです。

このことで、ぼくが感銘を受けたひとりの世界的なアーティストがいます。ポルトガル出身の世界的なピアニスト、マリア・ジョアン・ピリスです。彼女がライフワークとして取り組んでいる「パルティトゥーラ」という若手音楽家のためのプロジェクトがあります。彼女は、若者たちにただレッスンをするだけではなく、若いピアニストのために自宅を開放して、何人かのピアニストが彼女とともに暮らす。一緒に野菜を採ったり、料理をつくったりと、一定期間ともに生活をし、寝食をともにして、同じ立場になって、ともに考え、彼女も若者から何かを学ぼうとしている。その姿勢がすばらしいのです。

数年前、このプロジェクトを日本ではじめて実現したとき、ぼくははじめ、これだけのすばらしいプロジェクトは、音楽大学でも、教育機関でも、どこでもできるはずだと思っていました。ところが、いざ動いてみると、うまくいかない。世界的なピアニストですから、マスタークラスは大歓迎というのですが、期間が一週間となると、どこに寝泊まりするのか？　食品衛生の問題は？　予算の問題は？　とか、なかなか実現に至りません。

結局、二〇一八年、彼女が引退ツアーで来日した際、ようやくぼくが音楽監督を務めていた岐阜県のサラマンカホールで実現しました。彼女のスケジュールの都合で、リサイタルを含めて、たった六日間だけでしたが、そのためだけにホールを一週間開放する方法をとりました。参加した六人の若きピアニストたちにとっては、自分の人生が劇的に変わった六日間だったのはいうまでもありません。

この章のまとめです。「教養」から「共養」への流れをつくり、教育を「教える教育から教えない教育」にシフトすることで、次世代に何がもたらされるのか？　**これまでの日本の教育は「一」を「一〇」にしたり、「一〇〇」にしたりすることができる能力を伸ばすことが主でした。**それでは、型にはまった「常識人間」をつくり出すだけです。「**教えない教育」は、いまの日本に欠落している「ふたつのソウゾウリョク**（創造力＋想像力）」**を育む教育です。**それによって「〇」から「一」を生み出すことができる子どもが育ってくる。そのような次世代を育てることで、日本にイノベーションを生む下地がつくられていくのではないでしょうか。

第一三章　未来をつくるために③
――これからの公共は、市民の手でつくる

大衆文化と市民文化

最後は、「これからの公共は、市民の手でつくる」です。

自分たちの生きる社会を少しでも自分たちの手でよいものにする。これは、考えてみるまでもなく、ごくあたりまえのことであるはずです。その実践が「公共を市民の手でつくる」という意味です。すべての公共事業を市民がやるという意味ではありません。

市民が担うべき公共とは、文化です。これからの公共文化は、国や地方自治体だけに任せるのではなく、市民ひとりひとりが実践すべきだと、ぼくは考えています。

このことをぼくが深く考えるようになったのは、日本に帰国して全国の公共ホールでのコンサート企画の仕事をするようになってからです。ぼくはフランスでも劇場にかかわる仕事をしてきましたが、日本に帰国したとき、あまりにも立派なコンサートホールがたく

さんあることに驚いて、全国のホールをみて歩いたことがあります。なかには、一流の音響空間をもったホールが、田んぼのまんなかにぽつんと建っていたりとか、カルチャーショックというか、とにかくびっくりしました。

調べてみると、いま日本には、約三五〇〇もの公共文化施設があります。これは、地方自治体の数（日本の市町村の総数は、一七一八。二〇一八年一〇月一日現在）の約二倍です。音楽や演劇など、舞台芸術を目的とする公共ホールだけでも約一五〇〇ありますが、ホールの数に比べて、そのホールでなければできない、地元ならではの文化拠点としての企画を考え、実行する人の数は圧倒的に少ない。それは、公共ホールが本来担うべき「市民文化」とは何かを考え、実行する人材が不足しているということでもあります。

問題はどこにあるのか？　それを考えるためのキーワードがこれです。

大衆文化＝数の文化（収益性・経済性を重視する文化）
市民文化＝価値の文化（価値とは何か？　を育む文化）

地域の公共ホールは、ふつうは市や県の税金で運営されています。であれば、その税金を活かすためには「よりよい社会になるため」という目的があるはずです。にもかかわらず、現代の公共ホール運営は「来場者数」とか「チケット収入」とか、大衆文化的な「数の文化」の価値観で運営されている。収益事業ではない公共事業は「価値の文化」である市民文化的な視点で運営されなければならないはずです。それがなければ、日本の文化が豊かになるどころか、ますます貧しくなるばかりです。なぜなら「価値とは何か」を育まなければ「よりよい社会」になどなるはずがないからです。

けれども、文化行政を担うはずの自治体の専門部署ですら、いまや収益重視の大衆文化的な価値観に染まっている。それは、民間の興行事業者がやっている収益を目的とする収益事業の考え方であって、よりよい社会を育むための公益事業の目的ではないはずです。

もし、公共文化事業までもが、収益性や経済性だけで運営されるのであれば、それは公の役割の放棄です。国や地方公共団体が公の役割を放棄して、すべてが経済至上主義に染まってしまえば、ただの拝金主義の世の中になっていくだけです。

大衆とは何か？　を考える

ここで、「大衆」と「市民」について、その違いを考えてみたいと思います。どちらも同じような意味で使われていますが、これから未来に向けた公共文化のあり方を考えるためには、その違いをはっきりさせておくことはとても重要です。参考とするのは「大衆」について書かれた古典ともいえる二〇世紀を代表する二冊の名著です。

オルテガ・イ・ガセット『大衆の反逆』
ハンナ・アーレント『全体主義の起源』

ここで詳しくその内容を説明する余裕はありませんが、ごくかんたんに、この二冊の名著が誕生した背景だけをおさえておきます。

スペインの哲学者オルテガの代表作『大衆の反逆』が刊行されたのは、一九三〇年。ヨーロッパが「世界の終わり」を予感した衝撃的な世界戦争である第一次世界大戦と、その後の激動の時代がこの本をオルテガに書かせた原動力になっています。

ハンナ・アーレントの『全体主義の起源』は、ナチスの迫害を受けて、アメリカへの亡命を余儀なくされたユダヤ人であったアーレントが、一九五一年に発表した著作です。彼女は、ユダヤ人大量虐殺という忌まわしき歴史を生み出した原因となった「全体主義」の背後に、ナチズムを熱狂的に支持した「大衆」の存在を見事に描いています。
ここからは、この二冊の名著のなかで「大衆」がどう定義されているかをみてみます。

大衆とは善きにつけ悪しきにつけ、特別な理由から自分に価値を見いだすことなく、自分を「すべての人」と同じだと感じ、しかもそのことに苦痛を感じないで、自分が他人と同じであることに喜びを感じるすべての人びとのことである。

（『大衆の反逆（新装版）』オルテガ著、桑名一博訳、白水社）

次に、ハンナ・アーレントが『全体主義の起源』のなかで大衆をどう定義しているかを、思想史家の仲正昌樹《なかまさまさき》が次のように解説しています。（「100分de名著」NHK Eテレ）

政治的な問題・公的な問題に無関心で中立であること。
自分たちがどうすれば幸福になるのかがわからず、方向性を見失っている人々。
共通の利害や階級意識によって結ばれた政党、利益団体などに属さない人々の集団。

では、このふたつの「大衆」の定義の何が問題なのでしょうか？　ここに登場する大衆は、どこにでもいるごくふつうの人々にみえます。にもかかわらず、なぜ、オルテガは「大衆はみずからの生存を管理すべきでないし、またそんなことはできない。まして社会を支配するなどは問題外である」とこの本のなかで大衆時代の到来に警鐘を鳴らしたのか？

また、アーレントが指摘したように、集団としての大衆が歴史的に先例のなかった統治形式である「全体主義国家」を生み出し、なぜそれが、ナチス・ドイツの躍進とユダヤ人の大量虐殺という二〇世紀最大の悲劇につながったのか？

なぜなら、**大衆こそは二〇世紀が生んだ怪物だから**です。大衆が持つ恐ろしさ。まるで押し寄せる濁流のように、何もかもを呑み込み、すべてを破壊し尽くす。大衆が怪物たるゆえんは、時代の波や空気そのものを生み出し、しかもそれを自らはコントロールできないことにあります。その巨大な波には、賢者だろうが哲人だろうが、誰も逆らえずに呑み込まれてしまいます。そして、もしその波が「破滅」に向かってまっしぐらに進んでいるとしたら？　それが、いまや文明化された大衆社会をもつすべての国が抱える大問題なのです。日本も例外ではありません。

ぼくたちは、大衆に陥るという愚かさを、すでに歴史から学んでいやというほど知っているはずです。その教訓を活かし、**よりよい社会とは何かを、みんなで真剣に考えようとする人々。その人々のことを、ぼくは市民と呼びたい**と思います。

市民とは何か？　を考える

その市民を定義してみると、次のようになります。

政治的な問題・公的な問題に関心を持ち、どうすれば社会がよくなるかを考え、実践する人々。

自分たちが幸福になるとはどういうことかを理解している人々。寛容で、利他的で、まわりのためになることが、よりよく生きるための方向だと理解している人々。

政治家や権力者の行動や言動に注意し、自分と異なる立場の主張に耳を傾け、表面的な情報やマスコミに踊らされることなく、つねに物事の背後にある真実を見極めようとする人々。

ご覧いただくとわかるように、この市民の定義は、さきほどのアーレントによる大衆の定義を逆にして、少しリベラルアーツ風にアレンジしてみただけです。

未来はユートピアか？　あるいはディストピアか？

これは、ＳＦ映画や小説のテーマに未来の世界が描かれるときに、かならずといっていいほど登場してくる分かれ道ですが、このまま大衆社会の暴走を許せば、その未来はディストピアになるのは、誰の眼にも明らかではないでしょうか。

では、誰がそれを止めるのか？　どこにそれを食い止める力があるのか？

それは、政府でもなければ、役人でもなく、ひとりの英雄でもない。大衆であり市民でもあるぼくたちひとりひとりが、それを変えていくしかないのです。

「大衆文化」から「市民文化」の未来へ！

では、どうすればいいのか？

これからのキーワードは、「**大衆主義**」**から**「**市民主義**」**への移行にある**と、ぼくは考えます。つまり、大衆を主体とした「大衆文化」から、市民を主体とした「市民文化」へと、社会を移行させていくのです。

このふたつの文化には、どのような違いがあるのか？

大衆文化とは、国民を大衆に染めていく文化。市民文化とは、国民を市民としての自覚にめざめさせる文化。ぼくはふたつの文化の違いをこう考えています。

大衆文化とは、数の文化です。

テレビやラジオの視聴率、劇場の観客動員数、いいね！　の数、フォロワー数、書籍の発行部数などなど。大衆文化は、資本主義、市場経済の原理のなかで成長してきたために、一万円よりも一〇万円の方が一〇倍の価値があると誰もが疑わない文化のことであり、数の多さや、売り上げを伸ばすことがいいという、数の価値観に囚われた文化であるともいえます。金持ちの方が、貧乏人よりも偉いと考えられているような文化です。

市民文化とは、価値の文化です。

たとえば、人と人との交わりは、数字の集まりではなく人の集まりです。その価値は、何らかの数字に置き換えられるものではない。誰にとっても母親の存在は、単純に「一〇人の女性のなかの一〇分の一」などではなく、かけがえのない「一」であるのはいうまでもありません。レオナルド・ダ・ヴィンチの絵画の美しさや、ベートーヴェンの交響曲から受ける感動は、「いいね！」の数や金銭に置き換えられる価値ではありません。

ところが、資本主義的な大衆文化があまりにも浸透しすぎたために、現代では、ほんらいその価値を数で測れないものまでも、あまりにもかんたんに数字に置き換えられると勘違いされがちです。数値化できない価値までをも、数値化することによってしか判断できないというのは、もはや文化の貧困どころか、みずからの価値を破壊し、文化を崩壊させているようなものです。

たとえば日本の伝統文化である「茶道」は、ごく単純にいえば「一服の茶をどう飲むか」という美の作法です。それを「そんな作法、めんどくさい」とか「そんな作法、カネになるの?」と切り捨ててしまえば、文化は終わりです。ただ茶をごくごく飲めばいいというのでは、人間が動物になっていくだけのことです。

未来の文化というヴィジョンを描くためには、資本主義的な数の文化から、価値の文化への移行、すなわち「大衆文化」から「市民文化」を目指していかなければならない。それを実現するためには、ぼくたちひとりひとりが文化の実践者であること。これに尽きると思います。ひとりひとりが「大衆」であるよりも「市民」であるように努め、その自覚を持ち、自分ができる文化的な役割を社会のなかに見つけていくこと。そして、ひとりひとりが社会のなかでの役割を果たすこと。これが何よりも大切だと、ぼくは考えています。

ぼくたちは、大衆にもなれるし、市民にもなれる。新世代の君たちは、このことをぜったいに忘れずにいてほしいと思います。

古代ギリシャで「自由人」が「市民」を意味して「奴隷」が「不自由な人間」を意味したように、現代では「大衆」であることは「奴隷」であることと変わりないのです。

大衆でいれば、社会契約に縛られた社会で「自由という名の監獄」に囚われたまま奴隷として生きるしかない。けれども市民になれば、その社会契約を覆すこともできる。

市民でいれば、自分たちの未来をどのようにするかは、自分たちで判断し動かすことができる。つまり**市民だけが社会を動かせるあらゆる特権をもっている。その市民になるために身につけるもの。それが、リベラルアーツなのです。**

未来に向けたリベラルアーツの目的とは、それを身につけたひとりひとりが実践者となって文化的な社会をつくっていくこと。その文化的な社会の構成員であるぼくたちひとりひとりが「大衆」の衣装を脱ぎ捨てて「市民」になることでもあるといえるのです。

これからの公共文化は、市民の手でつくる

いま、ぼくは、これからの公共文化を市民の手でつくるという数々のプロジェクトに取

り組んでいます。たとえば、代官山クラブヒルサイドと共同ではじめた「代官山未来音楽塾」は、音楽を教えるための「音楽塾」ではなく、リベラルアーツを活かし、音楽をよりよい社会づくりに活かす志をもった人材を育成するための、小さな私塾です。

そのほかにも、市民とともにこれからの地域文化・芸術を考えるというシンポジウムを、全国各地の公共ホールの志をもった担当者とともに展開するなど、市民文化としての公共事業のあり方を、さまざまな視点からとらえなおそうという試みを進めています。

なかでも、いま熱心に取り組んでいるのは「軽井沢・森と本の家プロジェクト（仮）」です。これは、建築家の伊東豊雄《いとうとよお》、同事務所の若き建築家、アート・ディレクター、数学者、会社員など新旧さまざまなメンバーとともに、新世代と旧世代が上下関係のない、フラットな空間で本に囲まれてともに語り、学び、交流できる文化の家を軽井沢につくろうというプロジェクトです。

これからの公共文化づくりは、その実践を、国や地方自治体だけに任せるのではなく、市民ひとりひとりが文化人になるしかないと、ぼくは思っています。

「市民ひとりひとりが文化人になる」といっても、何も全員が文化活動をするという意味ではありません。たとえば、ひとりひとりが自分にできる方法で、ひとつでも「次世代に

軽井沢・森と本の家プロジェクトメンバー。右端にいるのが伊東豊雄氏。右から2番目(中列)で資料を持っているのが著者(伊東豊雄建築設計事務所ANNEXにて)。

価値のあるものを残す」ことを実践していく。それだけでも、地に根を下ろした文化の大切さを伝えていくことができる。それも立派な文化活動だと、ぼくは思います。

では、この章のまとめです。「これからの公共を、市民の手でつくる」ことで、次世代に何がもたらされるのか？　**いまの世の中に蔓延する嘘やまやかしに惑わされることなく、世界の正しい姿や、真実や価値とは何かをみる眼が養われます。自分の利益だけを考えて行動するのではなく、他人の幸せや、自然の恵みのなかで生きるよろこびをもった、まさに「次世代が生きるに値する未来」をつくることができる人材が育つ**のです。

まとめ　未来を生きるということ

君たちは、どのような未来を生きたいですか？

この本は、このひとつの問いとともにはじまりました。

あらためて「未来」とは何か、を考えるために、まずは、**まだみぬ遠い先に未来があるなどという思い込みを捨ててしまうこと**です。**未来は、ぼくたちの「先にある何ものか」ではなく、ぼくたちの「背後からやってくるもの」なのです。**

古代ギリシャでは、未来は自分たちの背後からやってくるものと考え、過去は眼前から後退するものであると考えられていました。この時間観は、なぜか日本人の時間観とも一致します。日本語で未来は「〇日後」といい、過去は「〇日前」といいますが、これはまさに未来が「後」からやってきて、過去が「前」にあることを指しています。つまり、ぼくたちの**未来はすべて、過去の投影であると考えるべき**なのです。

未来を考えることとは、過去を知ること。それは、人類の歴史をひもとき、人類が何をやってきたのかをつぶさに知ることでしかない。

第一部に登場した内田樹は、「いまの日本社会が『誰も責任をとらない』仕組みになりつつありますけれど、これは人間が無責任になったというよりも、過去においてなされた選択の適否について論じる習慣そのものを僕たちが失ったからではないか」と指摘しています。(『ミシマ社の雑誌　ちゃぶ台』「移住×仕事」号、ミシマ社)

誰も過去を振り返らない。こんなもの要らない、と平気で過去の遺産や伝統を捨て去る。誰もが、いまが過去の数え切れないほどの選択によって残された「もの」や「こと」の延長にあり、これからも何世代も時代が続いていくことを考えもしない。これは「背後からやってくる未来」を自ら葬り去ることに等しいのです。

だからこそ、ぼくたちは書物を通じて過去の人々の声に耳を傾けなければならないのです。そこには、ありとあらゆる過去の世界が詰まっているといっていい。そしてそれを学び、未来に活かすために、ぼくたちには、リベラルアーツという叡智があるのです。

いま、ぼくがやろうとしている活動は、とてもひとりやふたりの力でできることではありません。では、それを国がやってくれるのか？　国家とは、たとえていえば巨大な象のようなものです。ぼくたちアリのような市民がひとりで動かせるものではありません。

では、どうすればいいのか？

よく考えてみれば、公共とは、いいかえれば自分のまわりということでもあります。自分がいて、家族がいる。仲間がいて、地域がある。それを自分のまわりから少しずつ広げていく。文化とは何か？　文化的な価値とは何か？　を理解する市民ひとりひとりが文化的な暮らしを実践していけば、未来は変わる。それも、中央からではなく、もしかすると地方都市のような比較的小さなコミュニティの方が、変わりやすいかもしれない。

仕事で全国の地方都市を回っていて、ぼくはいつも感じるのですが、いま日本の未来が開けてくるとすれば、巨大化した大都市よりも、地方の方があらゆる面ではるかに可能性を秘めていると思います。さいわい、新型コロナウイルスの影響で、もはや大都市にしがみつく生活にどんな意味があるのか？　をみんなが疑問に思いはじめています。

ぼくたちひとりひとりは、巨大な象である国家からみれば、小さなアリにすぎません。でも、よく考えてみてください。二〇二〇年から、世界を震撼させてきた新型コロナウイルスは、たった一万分の一ミリの大きさしかない。ウイルスにできたことが、ぼくたちにできないはずはない。ぼくはこう信じて、活動をしています。

この本を最後まで読んでくれた、新世代の君たちに。

人生を遊びつづけて生きる覚悟はできましたか？

もし、その覚悟があれば、きっと未来は君たちひとりひとりが生きるに値するものにな

ると、ぼくは信じています。

どうか、新世代の君たちも、旧世代のあなたも、ともに生きるに値する未来をつくるために、力を合わせましょう！

おわりに

最後までお読みいただき、ありがとうございました。

リベラルアーツという言葉すら知らない幼い日から、ぼくは、どうもリベラルアーツのようなものを考えてきたようです。それは「宇宙とは何か？」という問いだったり「音楽とは何か？」「生命とは何か？」という問いだったり、たとえ問いのかたちは変わっても、それらの問いが重なる先に「リベラルアーツ」という言葉がみえてきたときから、ぼくはこの言葉のなかにある「光」のようなものに魅せられてきました。

生きるに値する未来をどうつくるか？

このような壮大な問いに挑むことは、ぼくなどの力量をはるかに超えた企てであることは百も承知で、ぼくはこの本を書きました。それは、これからの未来をつくる新世代のために旧世代に属するぼくができることは、ともにそれを考えること、みんなで議論を交わし、よりよい未来をつくるために、ひとりひとりが行動を起こすことしかないと思ったからです。

そのための羅針盤がリベラルアーツであること。それは古代人たちの叡智の結晶であること。それを活かすためには「遊び」の精神で学問の領域を超えることが重要だなどと、さまざまなことを語ってきましたが、リベラルアーツに秘められた精神はあまりにも深く、あまりにも広大なために、ぼくがこの本で語れたことは、リベラルアーツの「入門」ですらなく、ただ「門のまえに立っただけ」にすぎません。ここからは、新世代の君たちが自らの手で門を叩き、自ら学び、自分だけのリベラルアーツに入門してほしいと思います。

世界はいま、まさに混沌を極めています。

一瞬先に何が待っているかわからない歴史的な転換期に立つ世界には、だからこそとてつもない可能性も秘められています。そして、それを未来に活かすことができるのは、誰でもない、新世代の君たちなのです。

この本を書くために、大きな力となってくれた四人の若者に、心からの感謝を捧げたいと思います。若者のために書きたいといいながら、大学などの教職にないぼくには、若者の声を聞いたり、意見交換をしたりする機会がほとんどありません。その貴重な機会をつくってくれた代官山未来音楽塾の一期生で、企業再生や教育改革の分野で活躍している村田幸優くん（東京大学教養学部卒）、力武真由さん（東京工業大学大学院）、有吉玲さん（東京大学文学部）、前田色葉さん（慶應義塾大学法学部）、ほんとうにありがとう！

この本は、集英社インターナショナルの若き編集者、薬師寺達郎氏との出会いによって生まれました。いつか若い人たちのためにリベラルアーツの本を書きたいと思っていましたが、このようなかたちでそれが実現できたこと、そして担当編集者として彼のようなすばらしい若者に出会えたことは、ぼくにとって大きなよろこびでした。あらためてこの縁に感謝したいと思います。

「生きるに値する未来をどうつくるか？」という壮大な問いを、これからも、さまざまな活動をつうじて、未来を担う新世代の君たちとともに考えつづけていきたいと思います。

最後に、この小さな本を手にしてくれたみなさま、ありがとうございました。

浦久俊彦

リベラルアーツの精神にふれるための一〇冊

リベラルアーツに教科書はない。これは、この本のなかでぼくが主張してきたことですが、いいかえれば、古典といわれる書物を血肉とすることにほかなりません。それは歴史と対話することであり、歴史のなかに自分を置くことでもあります。これは、いわゆるブックリストではありません。真の古典に値する本を並べただけで、おそらく軽く数百冊は超えてしまうでしょう。ここに掲げたのは、リベラルアーツの精神にふれるためのキーワードならぬ「キーブック」(by 松岡正剛)となる一〇冊です。これらの本がいきなり手にした人の血となり肉となってくれるかもしれないし、もしかするとここに辿り着くまでに、数千冊もの本を経由しなければならないかもしれない。でも、道筋はひとつではなく、その道程を生きることが、リベラルアーツを生きることでもある。それを信じて、どうか深遠なる本の世界を冒険してみてください。

『国家（上・下）』プラトン著、藤沢令夫《のりお》訳、岩波文庫

どうすれば理想の国家がつくれるのか？　国家とは何か？　教育とは？　正義とは？　古代ギリシャの賢者たちによる熱き対話録。現代の国会で日本の政治家たちが交わしている議論と比較すると、そのあまりの違いに愕然とするはず。

『礼記（上・中・下）』竹内照夫著、新釈漢文大系、明治書院

東洋のリベラルアーツを知るための古典にして必読本。古代中国の精神文化の粋がここにある。抜粋版（『礼記』下見隆雄著、中国古典新書、明徳出版社）もあるが、できれば、全訳にふれておきたい。

『ヨーロッパ文学とラテン中世』E.R.クルツィウス著、南大路振一《みなみおおじ》ほか訳、みすず書房

『礼記』が東洋のリベラルアーツ必読本だとすれば、こちらは西洋のリベラルアーツを知るための必読本。この本は、ヨーロッパ文学について二〇世紀に書かれたもっとも重要な書物と評されているが、修辞学、トポスとトポス論、隠喩法、詩と哲学、詩と神学など、中世学問の基礎となった自由学科の全容が恐るべき臨場感でせまってくる。驚くべき一冊。

『バガヴァッド・ギーター』上村勝彦訳、岩波文庫

この本では、紙幅の都合でインド哲学・思想にはふれることができなかったが、インドの古典的名著として、どうしてもこの一冊をあげておきたい。「神の歌」という意味をもつこの聖典は、まさに「人がどう生きるか?」に正面から向きあった一冊。

『梁塵秘抄』後白河院著、植木朝子編、角川ソフィア文庫

後白河院が編んだ現存する最大の今様（平安期に流行した歌謡）集。そののち今様は滅び、この本もずっと幻の書とされてきた。明治末から大正期にかけて発見され、日本の詩作・文学に絶大な影響を与えた。「あそび」としての日本の「うた」の精華がここにある。

『宮廷人』カスティリオーネ著、清水純一ほか訳、東海大学古典叢書

一六世紀初頭のイタリア宮廷貴族たちが、宮廷人とは？　について連夜語りあった、まるで歴史絵巻のような対話録。貴族精神の貴重な文献として西欧諸国でも読み継がれてきた古典的名著。ヨーロッパ文化の深層を知るための必読本。

『宇宙の調和』ヨハネス・ケプラー著、岸本良彦訳、工作舎

古代・中世にとって音楽とは何か？　を知るための恰好の文献。ケプラーのこの本は、ふつう天文学書と考えられているが、「宇宙はどのような音楽を奏でているか？」について書かれた音楽書でもある。これを読むと、古来、西洋で音楽と宇宙がなぜひとつと考えられてきたのかが手に取るようにわかる。

『世阿弥　禅竹』表章《おもてあきら》、加藤周一校注、日本思想大系、岩波書店

時代とジャンルを超えた「わざ」としての芸術論の極北。アルベルティの『絵画論』も、アランの『芸術論』もすばらしいが、世阿弥の『風姿花伝《ふうしかでん》』や『申楽談儀《さるがくだんぎ》』に秘められた「芸の精神」は、日本人や西洋人という人種を超えたところにある。これをフランス語訳で読んだ、あるフランスの友人は、卒倒せんばかりに感動していた。

『ゲーテとの対話（上・中・下）』エッカーマン著、山下肇《はじめ》訳、岩波文庫

ドイツが誇る近代最高の知性が、もし君だけのためにヨーロッパの全教養、芸術、文学、そして「人としてあるべき姿」の極意を語り聞かせてくれたとしたら？　こんな体験は何千億円の価値にもかえられないのでは？　と思えるほど貴重な一冊。

『定本　葉隠〔全訳注〕（上・中・下）』山本常朝《つねとも》、田代陣基《つらもと》著、佐藤正英校訂ほか、筑摩学芸文庫

最後に、もう一冊、日本の古典を。『葉隠』は「武士道」の古典的名著といわれるが、ここには「人として生きることはどういうことか？」が昇華された思想がある。武士道は、過去の日本のもはや滅びた古臭い精神論などではなく、人が未来をつくるために先人が遺してくれた文化遺産でもあることが、この一冊から読み解くことができる。

写真提供　アマナイメージズ
三一ページ：©ZUMA Press/amanaimages
五二ページ：©Science Source/amanaimages

浦久俊彦《うらひさ　としひこ》

文筆家、文化芸術プロデューサー。一九六一年生まれ。（財）欧州日本藝術財団代表理事、代官山未来音楽塾塾頭。サラマンカホール音楽監督として企画した『ぎふ未来音楽展２０２０』が、サントリー芸術財団第20回佐治敬三賞を受賞。著書に『１３８億年の音楽史』（講談社）、『フランツ・リストはなぜ女たちを失神させたのか』『悪魔と呼ばれたヴァイオリニスト』『ベートーヴェンと日本人』（すべて新潮社）、共著に『オーケストラに未来はあるか』（アルテスパブリッシング）など。

インターナショナル新書一〇〇

リベラルアーツ
「遊《あそ》び」を極《きわ》めて賢者《けんじゃ》になる

二〇二二年六月一二日　第一刷発行

著　者　浦久俊彦《うらひさとしひこ》

発行者　岩瀬　朗

発行所　株式会社　集英社インターナショナル
〒一〇一-〇〇六四　東京都千代田区神田猿楽町一-五-一八
電話　〇三-五二一一-二六三〇

発売所　株式会社　集英社
〒一〇一-八〇五〇　東京都千代田区一ツ橋二-五-一〇
電話　〇三-三二三〇-六〇八〇（読者係）
〇三-三二三〇-六三九三（販売部）書店専用

装　幀　アルビレオ

印刷所　大日本印刷株式会社

製本所　加藤製本株式会社

　Printed in Japan　ISBN978-4-7976-8100-0　C0237

インターナショナル新書

001
知の仕事術
池澤夏樹

多忙な作家が仕事のノウハウを初公開。自分の中に知的な見取り図を作るために必要な情報、知識、思想をいかに獲得し、日々更新していくか。反知性主義に対抗し、現代を知力で生きていくスキルを伝える。

009
役に立たない読書
林　望

源氏物語から大藪春彦まで、読書は好奇心の赴くままにすべし！　古書店との付きあい方や古典の楽しみ方、朗読の魅力、書棚の作り方などをわかりやすく解説した著者初の読書論。

013
都市と野生の思考
鷲田清一
山極寿一

哲学者とゴリラ学者の知の饗宴！　京都市立芸大学長、京大総長でもある旧知のふたりがリーダーシップ、家族、衣食住、教養、老いなど、さまざまな今日的テーマを熱く論じる。

023
新・冒険論
角幡唯介

チベットで人類未踏の峡谷踏破、北極圏の闇世界を歩く80日間の極夜行など、真に独創的な挑戦をしてきた著者。ピアリーやナンセンらの壮絶な経験から冒険の本質に迫り、すっかりスポーツ化した現代の「疑似冒険」を喝破する！

インターナショナル新書

インターナショナル新書

101
わたしの心のレンズ
現場の記憶を紡ぐ
大石芳野
ベトナム、カンボジア、アウシュヴィッツ、そして広島、長崎、沖縄……。戦争の悲劇に襲われた地で撮影、取材を続け、各地の生活を見て来た著者の思い。今、共生と共存を考えるためのヒントがここにある。

102
戦国ラン
手柄は足にあり
黒澤はゆま
戦国時代を生きた人々は、とにかく歩き、そして走った。戦いの道を歴史小説家が実際に走り、武将たちの苦難を追体験。現場を足で辿ることで、文献史料を読むだけでは分からない、武将と合戦の実像が見えてくる!?

103
スキを突く経営
面白家電のサンコーはなぜウケるのか
山光博康
秋葉原発のアイデアグッズメーカーが家電業界に参入、ユニークな商品を次々にヒットさせ破竹の快進撃を遂げている。その創業者が斬新な商品開発の裏側を大公開。混迷の時代を生き抜く独自の経営理念とは!?

104
シャーロック・ホームズのすべて
ロジャー・ジョンスン
ジーン・アプトン
日暮雅通＝訳
一九世紀後半に登場して以来、探偵の代名詞として常に最高の人気を保ち続けるホームズ。フィクションのキャラクターという枠を超えて、世界中の人々を魅了し、影響を与える名探偵に関するトリビアを網羅。